第一章

快快乐乐上学去

——引导孩子顺利度过幼小衔接

从幼儿园毕业，迈入小学的大门，是孩子成长中的一次重要转折。所有的孩子都要经历适应的过程，而且有些孩子适应的时间还比较长，困难也比较大。能否顺利适应小学生活，对孩子的学习和生活具有重要影响。在孩子幼小衔接这个重要阶段，家长要多方面做好准备，帮助孩子顺利适应小学生活，成为一名合格的小学生。

做好孩子的心理过渡

孩子在幼小衔接阶段首先面临的是心理转变，他们要逐步适应学校这个新环境，从心理上认同自己是一名小学生，能用小学生的标准来要求自己，这个转变的过程对于一个六岁的孩子来说并不轻松，但这也恰恰是浇筑孩子良好心理素质的重要契机。

小学与幼儿园相比较，规章制度更多，班级管理也更加规范、严格，老师的工作也由幼儿时期的以生活管理为主变为学生阶段的以教学管理为主，家长对孩子的关注点也从吃、穿、玩等生活方面转到学习方面，这些改变让孩子产生一定的心理压力和不适应。那么作为家长，我们应该怎样帮助孩子更好地做心理过渡呢？

对孩子来说，适应小学生活需要一个较长的心理过程，大部分孩子入学后，面对新的环境、人际关系和学校要求等问题，一般都要经历惶恐、兴奋、厌倦和适应这几个阶段。

孩子刚入学时，对学校这个新环境感到特别陌生，有一种惶恐的心理；过了这个阶段，孩子会为自己已经成为一名小学生而感到自豪，而且由于认识了一些新伙伴，总是特别兴奋；又过了一段时间，孩子发现上学要早起、写作业、复习、考试等，比原来上幼儿园辛苦得多，而且学校里还有各种规矩，做得不够好会受到批评，因此，慢慢地，孩子就会产生厌倦心理；大约两三个月后，有的学生甚至需要更长的时间，孩子逐步适应了学校的生活节奏，认同了自己小学生的身份，完成了幼小衔接的心理过渡。

为了帮助孩子更好地适应小学生活，在孩子入学前，很多幼儿园会与小学合作开展一些活动，如组织幼儿去参加小学的升旗仪式、走进小学课堂听课等。在孩子正式入学后，学校也有一些帮助孩子适应的活动和措施，如亲子参观校园、第一周半天课等，帮助孩子们进一步了解学校和班级，从心理上接纳这个新环境。但光有幼儿园和小学的活动还是远远不够的，家长也要在孩子入学前和入学后多角度、多渠道地帮助孩子做好幼小衔接的心理过渡，让其对学校有一个初步的认识，激发起孩子上学的愿望和好好学习的信心。

让孩子初步了解小学，有上学的愿望

在我儿子翔翔在幼儿园大班的第二个学期，他们班的很多家长就开始对孩子进行幼小衔接的心理过渡了，其中有几位家长的做法特别好。

小齐妈妈常利用周末时间带她参加社区开展的读书活动，在那里有很多已经上了小学的哥哥、姐姐，小齐在与他们相处的过程中，希望自己也能像哥哥姐姐一样认识很多字、读很多书。跃跃爸爸常利用周末时间带他去奶奶家，奶奶家的小哥哥总给跃跃讲学校里的有趣事情。跃跃在哥哥的影响下，觉得学校很有意思，也想上学。康康家就住在学校附近，奶奶常带康康去看小学生放学，康康看到哥哥姐姐们背着书包、戴着红领巾从学校里高高兴兴地走出来，特别羡慕他们，也希望自己成为他们中的一员……

家长们可以通过多种不同的方式让孩子了解小学生活，知道学校是学习的地方，在那里可以认识很多新朋友，让孩子对小学产生一种亲近感和向往之情，有上学的意愿，这样孩子入学后也能尽快适应学校生活。在孩子入学前，父母千万不要说“你别现在不听话，上了小学，老师可厉害了，等老师来收拾你吧！”之类的话，因为这会让孩子认为学校就是管束自己的地方，从而抵触上学，如果孩子产生了这样的心理，家长再想激发孩子的上学愿望就变得比较困难了。

引导孩子明确上学的目的，有好好学习的愿望

很多孩子入学后，会出现听讲不专心、写作业比较被动等现象。这些现象反映出孩子上学目的不明确、没有养成良好的学习习惯等问题。因而，家长要在孩子入学前用孩子能够理解的方式，帮助他们认识到学习的意义，激发起孩子上学的愿望，建立起自我约束、积极向上的意识。如果孩子存在各种担心和恐惧，家长也一定要及时给予疏导，帮助孩子消除疑虑。

针对孩子入学后的心理，有针对性地加强疏导

漫漫是我一位朋友的女儿，她性格开朗活泼，很早就想成为一名小学生，在学前就想象着学校一定非常有趣。入学后，一开始，漫漫特别喜欢上学，还认识了几位小朋友。但没过多久，她就发现学校和自己想象的不太一样，学校里有很多规则需要遵守，学习过程中也要付出努力，这是漫漫从来没有想到过的。

一天吃晚饭时，妈妈问女儿："你喜欢上学吗？"漫漫沮丧地答道："刚开始还挺喜欢的，但现在不太喜欢了，因为学校的上课铃声一响就要坐好，每天回家后还要写作业，太辛苦了，还是幼儿园比较轻松。"听了漫漫的话，妈妈有些诧异，她一直以为大大咧咧的女儿很喜欢上学，没有想到女儿对于上学的态度有

点儿消极。于是，妈妈及时对漫漫进行了引导。并且每过一段时间，她就和漫漫聊聊学校的事情，了解一下她的想法。在妈妈的引导下，漫漫很快度过了幼小衔接的厌倦期，适应了小学的学习生活。

孩子正式进入小学后，家长要多关心孩子的心理，常和他们聊聊天，听听孩子喜欢什么、有什么困惑。家长只有清楚了孩子的心理需求，才能有针对性地加以引导，帮助孩子主动适应学校生活。孩子在学校有什么不愉快的事情或者遇到什么困难，这都很正常，家长要理智分析，及时给予引导，帮助孩子解开心理上的小疙瘩，努力克服困难。家长不能随便顺着孩子的话指责抱怨学校或老师，因为孩子对于学校生活的不适应是暂时的，如果家长把孩子对学校的美好印象打破了，要想再建立起来就更难了。

针对孩子的问题，加强家校联盟

阔阔也是翔翔在幼儿园认识的一位小伙伴，因为我们都住在同一栋楼里，所以比较熟悉。在阔阔入学前，他的爸爸妈妈给他精心挑选了学习用具，让他提前学习了一些知识，但阔阔其实是不想上学的。

入学后，阔阔很不适应小学生活，课上偷偷玩东西，老师讲课好像跟他没有什么关系似的，老师提醒他，他也不理睬。课下阔阔也不和同学们玩耍，总是自己一个人待着。每逢单元测验，阔阔都会紧张得要命，一遇到不会的题就无助地哭闹，把铅笔扔得满地都是，甚至把卷子都撕了。

面对阔阔的情况，老师把阔阔的父母请到了学校，希望通过家校配合帮助阔阔尽快适应学校生活。在沟通中，阔阔的父母提出了一些自己在教育中的困惑，老师一一解答了。同时，老师也给阔阔的父母提出了一些建议，希望他们能多鼓励孩子，引导孩子喜欢上学；在孩子学习时，要适当陪伴，培养孩子良好的学习习惯；鼓励阔阔在学校交几个好朋友……通过这次家校沟通，阔阔的爸爸妈妈也意识到对于孩子的幼小衔接不能只做买文具、学点儿知识这些表面工作，还要深入孩子的内心，了解孩子遇到的困难，给予孩子有针对性的帮助，让孩子从心理上适应小学生活。阔阔父母改进了教育方法，他们常和儿子聊聊天，了解一下他在学校的情况，发现问题时及时给予引导，同时加强家校联系。在家校配合下，阔阔进步很快，逐步适应了学校生活。

所以，如果孩子经过了一段时间还不能适应小学生活，家长可以主动联系老师，了解一下孩子在学校的具体情况，听听老师的建议，改进自己的教育方式，通过家校联盟来帮助孩子从心理上尽快适应小学生活。

孩子幼小衔接的心理过渡时间比较长，所以学前让孩子对小学有一个美好的印象，有上学的愿望，入学后也要和孩子聊聊天，了解孩子的心理需求，有针对性地加以引导，鼓励孩子积极、主动地适应学校生活。这样，通过一系列的心理建设，家长就能帮助孩子做好幼小衔接的心理过渡。

②

做好孩子的学习过渡

在学校学习是一个从零开始的过程，但孩子学前的各种学习准备工作千万不能为“零”。

我常听到一些家长在孩子入学前调侃一年级的知识有多简单，认为孩子就应该都得满分。但等孩子真正进入小学后，家长们又哭丧着脸说孩子在学前没做学习上的准备工作，所以入学后感觉仓促而被动。其实，孩子从幼儿园进入小学，要从以“游戏”为主的状态转换到以“学习”为主的状态，这对于他们来说具有一定的挑战性。在幼小衔接这个重要时期，家长要注重培养孩子的学习兴趣，提升孩子的学习能力，这对于孩子适应小学的学习生活具有非常重要的作用。

注重学习兴趣的培养

人们常说兴趣是最好的老师，当孩子对某种事物产生兴趣时，就会对它表现出极大的热情。对于学龄前的孩子，家长的重点并不是教授多少知识，而是注重培养孩子的学习兴趣。兴趣的培养不是一蹴而就的，需要多角度、长时间的熏陶。

家长要以身作则，表现出对学习的热爱，用自己的行动带动孩子也感受到学习的乐趣，而不是在孩子学习时，在一旁刷手机、玩游戏，表现出对电子产品的热爱和依恋，给孩子负面的示范。

学龄前的孩子比较喜欢做游戏，家长可以针对这一特点，和孩子一起设计一些有趣的学习型游戏，这样在玩的过程中孩子既学到了知识，又提升了学习兴趣。

翔翔上幼儿园大班时，为了能让他多认些字，我做了一些字卡，常和他玩打堡垒游戏。他当小坦克，字卡是小堡垒。每次玩游戏，我都是把翔翔认识的字和不认识的字各准备一些，翔翔玩的时候先把认识的字一个个射中，这些射中的字就是他的战利品。剩下的不认识的字，我再一一教他。翔翔很喜欢玩这个游戏，慢慢地认识了不少字，这对他日后的大量阅读有很重要的帮助。

我国古代孟母三迁的故事，让我们见识到学习环境和氛围对孩子的学习有多么重要的影响。家长要在家里给孩子布置出一个有学习氛围的环境：有独立的书桌、书柜，远离电视，避免嘈杂。同时，家长要在日常生活中常与孩子一起探讨知识，给孩子讲讲一些伟人小时候勤学好问的故事……让孩子从小就生活在这种浓厚的学习氛围中。

学龄阶段的孩子，由于年龄小，意志力比较薄弱，遇到困难容易“打退堂鼓”，因而家长要在这个阶段给予孩子更多的陪伴和关注。学习中的难点常常也是孩子兴趣和成绩的分化点，当孩子遇到困难要退缩时，家长要多陪伴和鼓励，引导孩子克服困难，迈过学习过程中的关卡，让孩子继续保持良好的学习兴趣。

加强学习能力的培养与锻炼

小宇阳和我们住在同一栋楼里。在宇阳入小学前的那个暑假，宇阳爸爸为了能让宇阳尽快适应学校的学习生活，精心安排了宇阳的加强生活。

每天下午宇阳爸爸会把宇阳送到宇阳姑妈家。姑妈是一位教育工作者，她深知幼小衔接学习方面的过渡不是多学文化知识，而是重在培养学习兴趣和提升学习能力。因而，姑妈先给宇阳讲解一些知识或让他听故事，这些内容大部分和课本没有什么联系，目的是丰富孩子的知识面，指导宇阳学会认真听讲，培养他的专注力。然后姑妈让宇阳练练字，指导他把字写得工整、规范。

爸爸则给宇阳买了一套儿童版的科学读物，鼓励小宇阳多读书。周末爸爸还带着他做书里的各种小实验，培养宇阳的动手操作能力，做完实验后再让宇阳说说收获。

在学前的学习准备中，重点不是让孩子学会多少知识，而是培养学习兴趣，让孩子掌握一些基本的学习方法，提升学习能力。宇阳的姑妈在小课堂中并没有给他讲授小学知识，而是通过讲解小知识、听故事等活动，培养他的专注力、倾听和表达能力。宇阳的爸爸则通过带宇阳做小实验，培养他对科学的兴趣和动手操作能力。当孩子掌握了一些基本的学习方法，初步具备了一定的学习能力后，在正式入学后就能迅速进入学习状态，稳步前行。

知识储备

对于孩子是否需要掌握一些简单的基础知识，很多家长都比较困惑。其实，孩子在学前学习一些文化知识有利也有弊。

有一些零基础入学的孩子，因为学前没有接触过任何知识，不受任何定势的影响，所以对学校的学习抱有极大的热情，听课特别专心，还能边听边想，提出自己独有的见解。但也有一些孩子入学前没有学习任何知识，入学后就有点儿跟不上，旧的知识还没有完全消化、掌握扎实，新的内容就接踵而来，再加上复习得不够充分，就出现了“夹生”的现象。

有些孩子在入学前学习了大量的课本知识，正式入学后，在本应该是培养良好学习习惯的关键期，孩子面对同样的内容学起来就缺乏新鲜感，觉得枯燥乏味，有时还会有自满的心理，反而养成了学习不用心的习惯。孩子学前学到的知识学校很快就讲完了，因为孩子在入学后的关键期没有养成良好的听讲习惯，所以当老师讲到他没有接触过的内容时，会出现听不懂、学不会的现象。

因而，是否进行学前的学习，家长可以根据孩子的特点和家庭情况来考虑。如果家长想让孩子在入学前学习一些基础知识，从而缓解孩子入学初始阶段的学习压力，可以让孩子从以下几个方面入手学习。

认识一些基本的汉字。识记汉字的方法有多种，可以用认字卡，也可以在生活中识记。孩子有了一定的识字量后，在学前就能进行适当的阅读了。在阅读中，又可以进一步认识一些新的汉字，阅读与识字相互促进。孩子读完故事后，家长还可以鼓励他们续编故事，把故事讲给身边的人听，从而提升孩子的理解力和表达能力。孩子具备了一定的阅读能力，有助于入学后读懂练习题目的意思，降低学习的难度。

要能够正确握笔，能写数字、一些简单的汉字和自己的名字。孩子在写字时，最好能照着字帖来写，一边观察一边写，从一开始就做到笔顺正确、字体规范。写完后，如果家长能对孩子的书写有一个评价和指导，那么孩子写字的能力就会进步得更快。

还可以掌握一些基本的英语知识，比如认识字母，能说一些简短的日常用语，认识一些简单的单词等，如果还能进行一些简单的英文阅读就更好了。

鼓励孩子在学习中磨炼意志

孩子们在幼儿园的学习和生活都相对轻松，进入小学后，一些孩子度过了刚开始的兴奋期后，会觉得学习比较累，怀念从前无拘无束的幼儿生活，慢慢地就会对学习产生懈怠情绪。家长如果发现孩子有了这种心理，一定要及时引导，让孩子逐步认识到在学习的过程中要学会坚持。家长要多肯定孩子为学习付出的努力，引导他们感受学习知识带给自己的深层次的快乐，从而让孩子有自主克服困难、积极向上的学习动力。孩子在学习中克服困难的过程也是对意志力的磨炼，这对培养孩子坚强的意志等品质具有重要的作用。

总之，小学一年级学习的内容并不难，因此学前的重点不是学习多少知识，而是激发孩子的学习兴趣、培养良好的学习习惯、提升学习能力，为孩子入学后的正式学习奠定基础。

漫漫求学路，迈好第一步。孩子从幼儿园进入小学，学习环境发生了变化，家长对他们的要求也随之发生了变化，这些都会给孩子带来不小的压力。有些孩子其实已经很努力了，但是因为发育比较慢，与其他同学有一定的差距。因而，在孩子幼小衔接的过程中，家长不要给孩子太大的压力，尽量减少同学间的各种比较，多给予鼓励和一些实实在在的帮助，引导他们顺利渡过幼小衔接中的学习关卡，为今后的漫长学习之路奠定一个良好的基础。

做好孩子的自理过渡

孩子自理能力提升的过程，也是他们学会对自己负责的过程，是内心成长、成熟的过程。孩子只有学会自理生活，才能逐步学会自理学习，长大后处理好自己一系列的人生大事。

在学前，孩子生活中的大多数事情均由幼儿园老师和家长协助完成。而进入小学后，学校对儿童自理的要求远远超过幼儿园和家庭，孩子在学校里生活方面的事情基本上都要由自己来完成，这对孩子来说也是一个不小的挑战。因而，在幼小衔接阶段，家长对孩子自理能力的培养就显得格外重要。

培养孩子的自理意识

卡耐基在《人性的弱点》中提到：“对于任何人，只要有所依靠，潜意识里都是杜绝自我独立的。”家长事无巨细地照顾孩子的生活，孩子就会变得懒得自己操心。因而，对孩子自理能力的培养，从提升他们的自理意识开始。家长要让孩子认识到自己的事情要自己做，父母可以给予适当的帮助和指导，但主要由自己来完成。孩子在自理的过程中，会遇到很多困难，家长要切忌包办代替。家长包办代替，会剥夺孩子成长锻炼的机会，妨碍他们自理能力和自理意识的发展，会让孩子认为这些事情都应该是家长做，没有做好也是家长的失误，与自己无关。在培养孩子自理意识的过程中，孩子和家长都要克服依赖和被依赖的心理。

教给孩子自理的方法

翔翔上学后，翔爸鼓励他自己的事情自己做。但在开学后的前几个星期，翔翔常出现丢三落四的现象，今天忘带水壶了，明天忘带黄帽了，他自己也想把东西带齐，但总是做不到。爸爸针对翔翔的这种现象，和翔翔一起商量解决的办法。翔翔提出来可以在门上贴一张纸，写上要带的东西，早上出门前对着纸上的内容检查一下，爸爸认为翔翔的这个主意特别好。从此，门上就多了一张纸条，上面工整地写着：黄帽、书包、水壶、饭兜。翔翔每天出门前都会对着纸条上写的内容检查一下东西是否带齐了。自从用了这个方法，翔翔丢落东西的现象就很少再出现了。

一天，我带着翔翔去他的好伙伴跃跃家里玩。跃跃也上一年级了，但他们俩不在同一所小学。我和翔翔一进门，就看到跃跃正在翻书包，急得满头大汗，跃跃妈妈很生气地坐在旁边。我忙上前问跃跃是怎么回事，小跃跃无奈地说："语文作业找不到了。"我看了看他的书包，里面乱糟糟的。我说道："阿姨先来教你整理书包，也许在我们整理的过程中语文作业自己就会跑出来，好吗？"跃跃看了看妈妈，又看了看我，然后点点头。我让跃跃妈妈找来了三个不同颜色的文件夹，我和跃跃把数学的书本放到蓝色的文件夹里，把语文的书本放到红色的文件夹里，把英语的书本放到黄色的文件夹里，每天写完的作业统一放在书包的夹层内，方便第二天早上交。

果然，在我们整理的过程中，跃跃要找的那个语文生字本从英语书中掉出来了。看到收拾得整齐有序的书包，小跃跃很高兴。我对跃跃说："所有的课本在书包里都有它自己的家，用完就要及时放回，这样再次用的时候才能快速找到。"跃跃高兴地点点头。

翔翔总是丢落东西，在翔爸的引导下，翔翔自己想出了解决问题的办法；跃跃的书包总是很乱，我教给了他整理书包的方法。孩子入学后，总会面对各种各样的自理问题，他们自己也想做好，但由于能力有限，总出现各种问题。因而，在孩子入学前，家长就可以先教给他们一些基本的自理方法，让孩子从一开始就养成良好的自理习惯。如果孩子在入学后，又遇到了一些新的自理问题，家长也可以鼓励他们自己想办法来解决，在实施的过程中，再不断改进和完善，在这个过程中进一步培养孩子主动解决问题的能力。对于刚入学的孩子来说，完全自理有一定的困难，所以当孩子做得不够好时，家长一定要有耐心，反复指导，多肯定孩子的进步，让孩子对自己有信心。待孩子掌握了方法后，家长还要督促他们养成持之以恒的习惯。

孩子遇到自己解决不了的困难，要学会求助于他人

翔翔入学后没多久，学校召开了一次家长会。会上老师讲了班里的一个小故事，给我留下了深刻的印象：一次，一位同学的妈妈忘了给孩子带中午在学校吃饭的筷子了，孩子上午没有发现，到了中午吃饭时，孩子才发现找不到筷子，非常着急，不知道怎样解决，只好眼巴巴地看着别人吃饭，肚子饿得咕噜噜叫。这时，同桌看到他不吃饭，就问他为什么，这位小同学不好意思地说忘带筷子了。同桌马上告诉了老师，老师立刻给这位同学找了一双一次性筷子，让他赶快把饭吃了。等这位同学吃完饭后，老师告诉他，以后遇到自己解决不了的困难，要及时告诉老师或者同学，大家都会帮助他的。

老师讲这个小故事是想告诉家长们，老师在班里每天面对几十个孩子，不可能每个细节都考虑到，孩子在学校遇到自己解决不了的问题，要学会求助于身边的老师和同学，这也是孩子自理

能力提升的一种表现。

家长会后，我们几位家长在路上边走边聊天。其中一位家长说，老师今天说的那个忘带筷子的小孩就是她儿子。那天她去接孩子的时候，孩子又哭又闹，埋怨她没给带餐具，她也一个劲地给孩子道歉。我们几位家长都觉得她不应该给孩子道歉，因为家长的道歉，会让孩子更加觉得这件事就是妈妈的错，是妈妈的失误给自己带来了麻烦。还是应该像老师说的那样，忘带东西是难免的，要鼓励孩子把自己的困难告诉身边的同学或老师，提升解决问题的能力。

有些孩子特别腼腆，在外面遇到困难宁可自己忍着，也不敢张嘴求助于他人。这其实也反映了他们缺乏勇气，不够自信，缺乏解决问题的能力。家长可以鼓励孩子平时主动去帮助身边有困难的同学，反过来，当自己遇到困难时，也就可以告诉自己熟悉的那几位同学，获得他们的帮助。如果事情发生得确实很突然，身边也没有熟悉的伙伴，家长也可以把这件事当成锻炼孩子的契机。逼迫孩子勇于突破自己，主动求助于身边的同学和老师，孩子回来后再给他大大的鼓励，让孩子为自己感到骄傲。

偶然情况，更是锻炼自理能力的好契机

强强上小学了，父母为了锻炼他的自理能力，让他自己整理

上学用的各种东西。

第一天强强做得还不错，第二天就出现了铅笔盒和水壶没带的现象。等妈妈发现的时候，爸爸已经送强强走了一会儿了。妈妈非常着急，想给强强送过去，这时奶奶说："别送了，等我们赶过去，估计孩子已经进校门了，咱们就给他一个自己解决问题的机会吧。"

放学时，妈妈去接强强，看到强强并没有不高兴的情绪，还指着旁边的一位同学说道："就是他借给了我铅笔和橡皮。"妈妈和强强向这位小朋友道了谢。妈妈接着问强强："没带水壶，这一天渴坏了吧？"强强摆摆手说道："没有，没有，我用自己吃午饭的汤碗接水喝的。"妈妈高兴地抱了抱强强，夸赞他遇事能动脑筋想办法解决。

当家长发现孩子忘带东西时，不要急于给他送过去，而是可以把这一偶然的情况当成锻炼孩子提升自理能力的机会，让孩子自己尝试去解决。强强到学校后发现自己没带铅笔盒，课上没有铅笔用，就主动向同学们去借；发现没带水壶，就想到用汤碗来接水。有了这次自己解决忘带东西这一问题的成功经验，强强在今后整理东西的时候就能想得更加全面。如果家长把东西给孩子送过去了，孩子当着那么多同学的面拿到自己忘带的东西，会觉得很丢人，而且对家长的依赖心理也会进一步加强。

偶然情况，往往也是锻炼孩子自理意识和能力的好契机。孩子在这种情况下，不得不开动脑筋想解决问题的办法，在尝试解决的过程中，既积累了成功的经验，又进一步提升了自理的能力。

蒙台梭利曾说过："我看过了，我忘记了；我听过了，我记不清了；我做过了，我记住了。"自理不是看会的、听会的，而是孩子在不断的实践中做会的。在幼小衔接阶段，家长要培养孩子自理的意识，鼓励孩子自己的事情自己做，不会的事情学着做。在自理能力提升的过程中，孩子的自我意识也得到了发展。

帮助孩子逐步适应小学的各项要求

只有遵守规则的人，才能获得最大的自由。

幼儿园是一个相对自由、宽松、包容的环境，小学却有很多规则，呈现高度的秩序化，这就使得有些孩子进入小学后出现明显的不适应。培养孩子主动适应规则和执行规则的能力，对他们愉快地学习、生活和交往具有积极的作用。那在孩子幼小衔接的过程中，应该怎样培养孩子的规则意识呢？

遵守学校的要求，促进良好习惯的养成

有些孩子刚入学时，对学校的生活特别感兴趣，但两周的新鲜劲过去后，就出现了各种不适应，常见的有以下几种情况。

有的孩子表现为上学总是迟到。究其原因是孩子在幼儿园的时候每天可以午睡，而上了小学后，午睡没有了，因而下午总是

特别困，趴在桌上不自觉就睡着了。而等到晚上，孩子又会玩到很晚，早上根本起不来，所以总是迟到。人们常说“好的开始是成功的一半”，孩子每天带着一个好的状态来到学校，对他开启一天的学习生活是非常重要的。如果孩子迟到了，难免受到老师的批评和同学们的嘲笑，不好的心情会使孩子一个上午状态都不好，必然影响听讲的质量。因此，孩子进入小学前，家长就要帮助孩子调整作息，尽量早睡早起，争取就不睡午觉了。孩子入学后，每天完成功课后，早点儿休息，保证充足睡眠，第二天按时起床。家长可以给孩子上两个闹铃，一个是用于晚上睡觉的，另一个是用于早上起床的。早上孩子早点儿起床，吃好早饭，带齐东西出门，路上不仓促，从容到学校。

有些孩子的不适应表现为课间不能合理安排时间。孩子在幼儿园时，老师会组织大家喝水，可以随时去卫生间。而小学一节课的时间一般是40分钟，课间休息10分钟。一打下课铃，即使老师提醒了，很多学生一到课间还是光想着和同学玩耍，忘了喝水、如厕，当上课的铃声响起时，才想起厕所还没有去，下节课的用具还没有准备。针对比较贪玩的孩子，家长要反复叮嘱孩子合理安排好课间时间，先上厕所，回来后喝点儿水，准备好下节课的用具，剩下的时间再和伙伴玩耍。孩子只有合理安排好课间时间，才能在下节课快速进入学习状态，保证听讲质量。

还有的孩子在自习时间不抓紧时间写作业，磨磨蹭蹭、拖拖拉拉，导致回家后作业量很大。针对这种情况，家长要帮助孩子树立起抓紧时间的意识，培养良好的学习习惯。

小学的规章制度明显多于幼儿园，这些规章制度的设立大多是为了帮助孩子养成良好的学习和生活习惯。在幼小衔接阶段，家长引导孩子遵守学校制度，增强规则意识，有助于孩子尽快适应学校生活，促进孩子良好习惯的养成。

违反学校要求，主动承担后果

跃跃上学后不久发生了一件事情，跃跃妈妈处理得非常好，帮助跃跃提升了规则意识。跃跃所在的学校因楼道狭小，学校规定学生课间不能在楼里追跑打闹。可是跃跃特别淘气，总管不住自己，一到课间就和班里的几个男生一起疯跑，好几次都撞倒了同学。每次老师和家长批评跃跃时，他总是一副不在乎的样子。有一次，跃跃又因追跑撞倒了一位弱小的女生，使得这位女生的胳膊擦伤了，头上也磕了一个大包。跃跃妈妈得知这件事情后，第一时间带跃跃和这位女生的父母一起带孩子去医院做了处理。为了让跃跃提高安全意识，晚上妈妈又带他去看望了这位女生，跃跃看到同学受伤痛苦的样子，深深认识到是自己只顾着一时的痛快，在楼道中追跑，才给同学带来了伤害，于是决心改掉这个坏习惯。

跃跃因在楼道里追跑把同学给撞伤了，跃跃妈妈主动和儿子一起承担责任，又是和对方家长一起带孩子去医院，又是带跃跃去看望被撞伤的同学。在妈妈的带动下，跃跃从主观上提升了遵守学校要求和承担责任后果的意识。

有些孩子入学后，对学校的各项要求明知故犯，家长也不太关心，认为等孩子大一些自然就会好的。其实，规则意识的淡薄，会使孩子养成自由散漫的坏习惯，坏习惯一旦养成，纠正起来会非常困难。因而，规则意识要从小培养，当孩子违反学校规定后，就应该让孩子主动承担后果，而不是推卸责任。在管教中，让孩子渐渐意识到行为不能越界，这也有助于孩子今后更好地融入社会，成为一名守法的好公民。

和孩子一起制定规章制度，明白制度背后的意义

翔翔小学一二年级的班主任老师非常有智慧，她让孩子们通过自己制定班规来理解规则背后的含义，从而更好地遵守规则。

记得翔翔刚上一年级不久，班里的孩子们还没有适应学校的生活，常常出现各种问题。班主任引导大家根据开学以来班里陆续发生的几件事情来讨论班规。有的孩子说应该听到上课铃声就回到座位上，有的说放学时要带齐东西，还有的说课上要专心听讲。老师根据同学们的发言，制定出了一年级班规的内容：铃声响回座位，专心听讲，认真写好作业，按时值日。

到了二年级，同学们已经完全适应了学校的生活，学校基本的规章制度都能够遵守，也初步养成了良好的学习和生活习惯，但是也产生了很多新的问题，如同学之间常有各种小矛盾，个别同学不爱惜地面卫生，有的学生听讲欠专心、作业不认真写等。于是，老师又组织大家根据二年级的新问题来制定班规，经过同学们的讨论，班规定为明辨是非，团结友爱，干净整洁，乐学善学。

到了三年级，同学们每天晨读的内容是《弟子规》，老师请大家结合三年级的情况，把《弟子规》中的语句作为班规的内容。同学们讨论后，把三年级的班规定为：见人善，即思齐。过能改，归于无。事勿忙，忙多错。勿自暴，无自弃。读书法，有三道。心眼口，信皆要。

因为这些班规都是同学们根据班里的情况自己提出来的，很有针对性，所以同学们知道这些班规制定的目的和意义，从心理上自然愿意接受它们。家长也可以在家里问问孩子，学校有哪些规章制度，这些制度有什么用。当孩子能够阐述规则的产生原因时，说明他已经理解了规则。如果孩子说不清楚，家长需要给孩子补充说明一下，让孩子“知其然还要知其所以然”，在理解的基础上遵守规则。

梁启超在《论幼学》中强调“人生百年，立于幼学”。虽然学校的要求繁多，但正是这些规则，让每一名学生有了一个安全、平等的学习生活环境，帮助学生养成良好的习惯。家长要引导孩子主动适应新环境，遵守学校的规则，通过守规则获得最大的自由。

幼小衔接中存在的误区

在幼小衔接的过程中，家长既不能过度恐慌焦虑，也不能什么都不做，一切都等着上学后再说。要科学地面对孩子的幼小衔接，不要因为认识上的一些误区，而错过孩子幼小衔接的最佳时期。

孩子从幼儿园进入小学是一次重要转折，对此家长们一般都很重视，希望孩子能迈好求学路上的第一步。但是，有些家长在孩子幼小衔接的过程中表现得非常焦虑和盲目，甚至有一些认识上的误区，反而给孩子入学后的学习和生活带来了困难。常见的误区有哪些？新生家长又应该怎样做呢？

为了上一所好的小学，每日让孩子劳苦奔波

在我小侄女入学前，家长也为孩子上哪所小学纠结了很长一

段时间，最后决定就读于一所离家近的普通小学。因为学校离家很近，爷爷奶奶接送起来非常方便。小侄女学习一直很优秀，各方面发展都很好，在小升初的时候被学校推荐去了一所自己满意的中学。

孩子刚入小学时，年龄小、精力有限，如果为了上某个名牌小学，而让孩子每天跑很远的路，以缩短睡眠时间、耗费很多额外的精力作为代价，那是不值当的。找一所适合孩子的学校比选择一所重点小学更重要，选择合适的学校，要综合各方面情况来看，就是不仅要考虑学校的教学质量，更应该考虑家与学校之间的距离，让孩子不必在路上浪费太多的时间和精力，有更加充分的时间来休息和学习。

记得一位很有经验的老师曾对我说过：“你看，很多学习优秀的学生是我教的，但是一些成绩不太理想的孩子也是我教出来的，我给的都是一样的教学，关键看孩子是否努力。”老师说得特别现实，其实从名牌小学出来的学生不一定都优秀，而普通小学也能培养出很多优秀的学生。无论孩子上了怎样的小学，只要家长注重对孩子的培养，孩子一样可以成长得很好，家长不必为择校问题搞得自己筋疲力尽。

对孩子入学的心理准备不足

有一次，我的一位同事向我谈起她儿子奇奇不适应小学生活的事情，问我怎么办，我简单了解了一下孩子的情况。

开学后奇奇迈入了小学的大门。奇奇背着最新款的书包，用着最酷的铅笔盒。虽然装备显得比其他同学的更时尚一些，但是奇奇特别不适应小学生活。每天早上进校门的时候奇奇就要哭半天，好不容易进到教室，课上不听讲，课下不与其他同学交流，别人和他说话时，他总是流露出茫然和惊慌的神情，遇到困难就在教室里哇哇大哭。当老师与我的同事沟通奇奇的情况时，我的同事很吃惊，不知道家庭教师和保姆怎么把孩子带成了这样。

了解了奇奇的情况后，我认识到孩子的问题其实是出在了我的同事这里。她对于幼小衔接的认识就是准备好学具、请好家庭教师和保姆等，但对于孩子的心理建设明显准备不足。奇奇不知道为什么要来学校上学，应该怎样学习，怎样与同学交流，当遇到困难时应该如何解决。这些问题家长从来没有站在孩子的角度上考虑过，更谈不上给予相应的指导。当孩子入学后出现各种不适应时，家长和孩子又都陷入了紧张和焦虑。我建议她，作为母亲，对孩子的心理建设她要亲自来做，这项工作家庭教师和保姆是替代不了父母的。听了我的建议，我的同事改变了方法，常与孩子聊聊学校的事情，听听孩子的内心想法，并且及时给予引导。在他们夫妻共同的努力下，奇奇很快适应了学校的生活。

对于孩子的心理建设，从学前就要开始，一直延续到孩子完全适应小学生活。家长要让孩子明确上学的目的，在入学前就对学校有一个美好的初步印象，有上学的愿望。入学后，家长也要和孩子多聊聊天，了解孩子的心理需求，给予有针对性的引导。通过充分的心理建设，让孩子能主动适应小学生活，实现幼小衔接的心理软着陆。

入学后，对孩子的学习不用管

很多家长都认为一年级的知识非常简单，对孩子来说考个满分是件很容易的事情，因而在孩子入学前没有做任何的准备工作，就连书桌和书包也是开学前刚买来的，入学后，对孩子的学习也不怎么管理。过了一段时间，才发现孩子写作业非常吃力，考试成绩也不理想。与老师沟通后，才知道孩子听讲习惯不好，课上常常玩东西或发呆。此时，家长才开始着急，批评加打骂，但孩子已经养成了一些坏习惯，再纠正起来非常困难，因而全家陷入了“鸡飞狗跳”的生活状态。

对孩子来说，从学前的以“游戏”为生活重心转变为入学后以“学习”为重心，并不是一件容易的事情。无论学前是否有基础，在孩子幼小衔接这个关键期，父母要舍得投入精力，培养孩子良好的学习习惯，提升孩子的学习能力，为今后漫漫求学路奠定好基础。如果父母不关注孩子的学习情况，孩子学习有一定的困难是必然的。孩子入学后，良好习惯养成的关键期也就是开始那短短的几个月，如果这个阶段家长错过了，等孩子养成了一些坏习惯，再开始亡羊补牢，就变得比较被动了。

幼小衔接就是上个学前班或者多上几个培训班

我身边有很多亲戚朋友在孩子入学前，总问我是否需要让孩子上个学前班或者报几个培训班，家长迫切的心情是可以理解的，但要先考察一下学前班或者培训班教学的内容是什么，如果只是提前教一年级的知识，那意义就不太大。一年级初期，正是培养正确的学习态度和良好学习习惯的最佳时机。有些孩子入学后发现老师所讲的内容他在学前班都学过，就认为可以不用听了。然而，在学前班获得的知识储备是有限的，在学校很快就会学完，当孩子真正面对新知识时，如果没有端正的学习态度和良好的学习习惯，就会影响新知识的学习。

学前的主要任务是帮助孩子做好上学前的心理建设，调整好作息，可以适当教一些知识，但重点要放在以知识为载体培养孩子的学习能力和习惯上。如果有适合的学前班可以考虑，没有的话，家长在家里适当对孩子进行学前指导，效果也是很好的。

小学对孩子的要求远高于幼儿园，孩子在面对新环境、新要求时，需要一定的适应过程。在孩子幼小衔接的过程中，家长首先要做好自己的角色转变，只有自己先具备了小学生家长的意识，注重孩子能力和习惯的培养，才能带动孩子做好幼小衔接的各种过渡。在父母的带动下孩子也能做好角色转变，认识到自己将要成为一名小学生了，从而有愿意上学和好好学习的愿望。

小孩子之间因为各方面的原因存在差异，家长要真正“蹲”下身来，以孩子的视角量身定制有针对性的帮助。要减少孩子间的横向比较，增加孩子与自身的纵向比较，孩子有进步时要及时给予鼓励，让孩子有积极向上的良好心态。同时，不要对孩子要求太高，只要他们努力了，我们就应该为他们的进步鼓掌、加油。

第二章 智慧教育，促进孩子身心发展

——做个有心的好家长

生活中，有的孩子身心健康，学习成绩优异，常被称为“别人家的孩子”。但有些孩子会有一些心理或学习问题，使得家长焦头烂额。孩子的成长离不开良好的家庭氛围和父母的智慧教育。孩子能够身心健康地成长是每一位家长的夙愿，但没有哪对父母是天生的“优秀家长”，都需要不断学习，与孩子共成长。

发挥好榜样的作用

孩子在成长的道路上，离不开榜样的引领。榜样是光，照亮孩子前行的路；榜样是路标，指引孩子不迷失方向；榜样是山峰，让孩子在攀爬中磨炼毅力……在榜样的引领下，孩子会有努力的方向，逐步成长为更加优秀的自己。

很喜欢这样一段话："一个人能走多远，要看他与谁同行；一个人有多优秀，要看他有谁指点；一个人有多成功，要看他与谁相伴。"从中足可以见榜样对一个人的重要性。孩子在成长的每一个阶段，都需要有不同的榜样来引领。

家长永远是孩子最好的榜样

七岁之前的孩子全然是一个"吸收容器"，周围的世界会潜移默化地影响、塑造着他。其中，影响最深刻的是父母，这也就是为什么人们常说孩子就是家长的“翻版”“影子”，父母良好的言传身教就是对孩子最好的教育。

我有两位朋友，其中一位朋友在孩子一上小学的时候就辞职了，说要在家一心带娃。我几次带孩子去她家玩，都发现她家里的东西非常混乱，衣服随处乱丢，桌面上堆放着各种东西，地上的各个角落也都堆放着一些杂物。她常跟我抱怨孩子没有养成整理东西的良好习惯，问我怎么办。因为我们俩的关系特别好，我就不客气地对她说：“孩子的坏习惯都是跟你学的，你先把自己的东西整理好，然后再教给孩子一些整理东西的方法，孩子自然就会慢慢养成整理的好习惯。”听了我的建议，朋友说一定先从自身改起，然后带动孩子一起改进。

另外一位朋友，在孩子上小学的时候，她决定要考研究生。身边很多人都劝她，孩子上学需要父母付出很多时间和精力，这个时候去考研，别耽误了孩子的学习。她犹豫了一段时间，还是决定去考研。开学后，孩子在里屋学习，她在外屋学习。母女俩还约定看谁能先取得好成绩，家里的学习氛围非常浓厚。一个学期后，孩子顺利度过了幼小衔接，成绩还不错，她也考研成功。

美国黑人作家鲍德温曾说：“孩子永远不会乖乖听大人的话，但他们一定会模仿大人。”模仿是孩子的天性。第一位朋友比较邋遢，要想让孩子养成整洁的习惯，还要从自己做起，因为父母不改进，孩子将无从学起。第二位朋友则用自己的实际行动来影响孩子，家长和孩子一起学习，还约定看谁先取得好成绩，妈妈对待学习的态度影响着孩子，所以孩子在学习上也格外用心。良好的家庭学习氛围，加上妈妈以身作则，还有比一比谁更棒激发的内在动力，使得孩子的学习成绩自然就比较好。

我们在生活中，常见到有些父母非常自律，对孩子照顾得也很细致，每天帮孩子整理书包、检查作业、收拾玩具、换洗衣服……但孩子并没有以家长为榜样，反而很邋遢，而且不珍惜父母的劳动成果：每天放学回家衣服脏兮兮的，书包里面一片混乱。晚上睡觉前，书本没收，玩具扔得到处都是。对于这些父母也很困惑：自己辛苦的劳动为什么没有成为孩子的榜样？为什么孩子一点儿也不珍惜自己的劳动成果呢？

这些父母虽然树立了榜样，但没有注重培养孩子的自理能力，导致在孩子的头脑中形成了不用爱惜他人劳动成果的意识，因为知道家长还会再次整理的，父母的劳动变成了“应该的”。因而，父母一方面要树立榜样，一方面还要注重培养孩子的劳动能力和习惯，让孩子学会打理自己的生活。在孩子的不同阶段，父母要提出相对应的要求，引导他们越做越好，只有这样孩子才会体谅父母，更加珍惜家人的劳动成果。

教育不是用嘴说出来的，而是用行动做出来的。父母是孩子的第一任老师，家长要发挥榜样的作用，用自己良好的言行潜移默化地感染孩子，培养锻炼孩子的能力，及时纠正孩子不正确的行为，为孩子的人生奠定好基石。

向身边优秀的伙伴学习

在孩子的生活中，除了父母，还有一个重要的群体，那就是与他们共成长的伙伴。甚至于，孩子与伙伴相处的时间会超过与父母相处的时间。在小集体中，有的孩子学习优秀，有的体育好，还有的喜欢为集体服务……家长可以引导孩子多向身边的优秀伙伴学习，不断进步，完善自己。

记得当年我刚读初中时，看到所学科目和各科的知识内容一下子比小学增加了很多，并且难度也增大了，一时不太适应，感觉总也记不住所学的，特别着急。我的同桌学习成绩非常好，我看她把知识点分科、分条记录在一个小本上。于是我向她学习，从家里找了一个小本，把自己认为重要的知识点分类记录下来，繁多的知识就好像找到了“家”。我每天早上乘车时拿出来背一背，很快就记住了。一学期下来，我很有收获。期末考试我取得了年级前几名的好成绩，那种成就感至今记忆犹新。

同伴的榜样引领作用非常重要，孩子们在与伙伴相处时，在观察中找到差距，在模仿中找到方法，在比较中实现快速提升，这就是他们成长进步的内驱力。家长要引导孩子平时多与身边优秀的同学交朋友，主动学习身边伙伴的优点，不断完善、提升自己。同时，这些伙伴身上的良好品质和思维方式也会在交往互动中潜移默化地影响自己的孩子，让他们也逐步成长为一个优秀的人。

堂兄曾沮丧地向我讲过他们家的一个小故事。一次，堂兄的儿子明昱把考试卷子给他看，他一看，成绩又不理想，很气恼，不禁对儿子吼道："你看你们班的学习委员成绩多好，你向人家学学……"但还没等他说完，明昱就捂着耳朵跑开了。我听后，忍不住笑了好半天。其实，孩子产生逆反心理，与家长不正确的引导方式有关，孩子会认为家长在夸赞别人的同时也在否定自己，当然就不愿意接受。

要想让孩子主动向身边的榜样学习，要先培养孩子的自信心和上进心，让孩子觉得自己也有优点，与身边的优秀同学是各有所长，然后教孩子认识到自己也有不足。让孩子与身边的伙伴取长补短，孩子才会有向他人学习，不断完善自己的内动力，变被动学习为主动学习，这样进步就会更快。

古人云："近朱者赤，近墨者黑。"由于年龄小，分辨能力差，有些孩子会认为一些不良青少年的习惯是一种另类的"美"，很酷，并尝试模仿。如果家长发现孩子在和一些有不良习惯的青少年交往，一定要及时制止和监管，防止孩子沾染不良习惯。

"三人行必有我师"，只要孩子有积极向上、虚心好学的上进心，身边到处都是可以学习的榜样。家长还要引导孩子，在向榜样学习的过程中，不光要关注榜样取得的结果，更要学习榜样为此付出努力的过程。只要孩子不断努力进取，终会成为别人效仿的榜样。

学习偶像的奋斗精神

我儿子翔翔到了初三那年，学习压力比较大，家长督促他努力学习的话已经不太管用了，甚至有时会让他有逆反心理。

他一直非常喜欢篮球明星詹姆斯，我就给他买了一张詹姆斯的海报挂在书桌前。上面写了詹姆斯的一句名言："只要一上球场，我就会全力以赴。"翔翔自己都说，学习累了，一抬头看到詹姆斯的海报，就好像老詹在激励他要不断努力，他立刻就充满了动力。

我在网上了解了一下詹姆斯，并时常主动和翔翔聊聊这位篮球明星。每次我只要开个头，孩子就会滔滔不绝地讲这位篮球巨星怎样刻苦训练，而且不光篮球打得好，自己的商业发展得也很好。每每与翔翔聊起詹姆斯，我都能深深感受到这位篮球巨星的精神在引领孩子的思想前行。

随着孩子年龄的增长，他们心中都有了自己的偶像，有的是唱歌、演艺明星，有的是体育健将，还有的是科学天才。偶像之所以能够成功，背后必有艰苦的奋斗历程，家长与其一味地反对孩子追星，让孩子觉得家长不理解他们，倒不如和孩子一起来了解一下偶像成功背后的故事，鼓励孩子学习其奋斗的精神，不断超越自我。

阿尔伯特·爱因斯坦曾说过："没有哪种教育方式比榜样更

有力量，它可以产生一种特殊的‘震慑’作用。榜样可以让孩子看到自己攀登的目标，激发起奋发向上的力量。在努力的过程中，也可以让孩子看到自己的潜能，感受到自己的进步，享受成长带来的自信。”

鼓励的神奇作用

鲁道夫·德雷克斯曾说过："孩子们需要鼓励，就像植物需要水。"鼓励在孩子的成长过程中具有神奇的作用，可以帮助孩子提升自信，达到事半功倍的效果。

我在读初中时，语文学得一般，对写作也不感兴趣。每次老师让写作文，我是绞尽脑汁，东拼西凑。一次，语文老师教我们写诗歌，并且周末的作业就是写一首诗。我对于写诗这件事感到很新鲜，周末两天在家认真写了一首。在作文讲评课上，语文老师对我的诗给予了高度评价，让我信心倍增。老师的充分肯定，让我对写作，乃至对语文的学习都产生了浓厚的兴趣。常有朋友问我："我家孩子学习动力不足，一批评他就逆反，有什么好办法吗？"清代教育家颜元曾给出了答案："数子十过，不如奖子一长。"

孩子天生的能力确实有一定的差异性，但鼓励会让孩子充分挖掘出自身的潜能，努力做最好的自己。

做育苗专家

我和小凡的爸爸是很熟悉的朋友，小凡是个胖乎乎的小女孩，非常可爱。小凡妈妈长期在国外工作，她的学习和生活主要由爸爸来负责。小凡是在国外上的幼儿园，她虽然汉语说得很好，但识字、阅读等方面与其他同学相比还是有差距的。由于基础比较弱，小凡学习兴趣并不高，每天写作业拖拖拉拉，做题也不认真。一次，小凡爸爸正向我吐槽孩子的学习时，小凡从不远处跑了过来，爸爸急忙叫住她，问她今天发的语文试卷成绩如何，小凡小声说道："及格了。"小凡爸爸当着我的面对孩子吼道："墙角站着去。看你站的那个样子，耷拉着个脑袋，没出息。"然后他对我接着说道："在家只要不听话，我就让她罚站。唉，也不怎么见效果。"小凡爸爸眼中流露出无奈的迷茫。

小凡的问题其实是出在了爸爸的教育方式上，小凡缺少的是家长对她学习的耐心指导和鼓励。面对小凡的问题，爸爸总是批评和体罚，一心只想着"拔去"缺点这根"草"，其实人无完人，缺点的"草"永远也拔不干净，家长的批评和体罚还会使得孩子觉得自己一无是处，产生自暴自弃的心理。小凡爸爸在和我沟通过后，认识到自己平时只关注孩子的缺点，对孩子的问题处理得过于简单粗暴。他表示自己今后要改变教育观念，每天多抽出时间来陪伴孩子，耐心地给她辅导功课，同时多鼓励、肯定孩子，帮助小凡建立起学习的信心。

在教育的路上，家长们要做“育苗大师”，而不是“拔草专家”。每个人都是优点多于缺点，如果家长总是盯着孩子的缺点看，缺点就会膨胀，孩子在家长的眼里就逐渐变得一无是处。相反，如果家长能够多关注孩子的进步，并且及时给予鼓励，不仅自己和孩子都会变得心情愉悦，还会使得孩子在家长的引导下越来越出色。好孩子是夸出来的，鼓励是一种积极的强化，其效果远优于批评。当然，在鼓励的同时，也要给孩子指出需要改进的问题。这样孩子既会为自己取得的进步感到高兴，又会明确今后努力的方向。

善意的谎言

一次，我给翔翔去开家长会，会后数学老师向我反映翔翔课上听讲欠专心。回家的路上，我非常着急，想回去狠狠地批评他一顿。但是一进家门，看到翔翔一脸紧张而担忧的表情，我压了压心里的怒火，和孩子好好谈了谈老师提出的听讲问题，孩子当时也点头表示愿意改正。晚上，家人都睡下了，我一个人躺在床上睡不着，我想谈话能够帮助孩子认识到自己的问题，短时间之内问题应该能有所改善，但是孩子年龄小，估计坚持不了多久，要想能持久改进，还要想点儿其他办法。

过了几天，我对翔翔说：“我向老师了解了一下你的学习情况，老师说你听讲很有进步。”孩子听后特别高兴。其实，我也不好意思总打扰老师，我根本就没有去问老师孩子的听讲情况。

又过了几天，我看孩子在屋里写作业，就故意在门口装作神秘兮兮的样子跟翔爸说：“你知道他们班谁听讲进步最快吗？”翔爸说：“不知道。”“我听说听讲进步最快的名单里居然有咱们家宝贝。”我故意压低了声音说道。其实，哪有什么进步名单啊。但我知道，当我在说这些“悄悄话”的时候，儿子一定在侧耳倾听，心里暗自高兴。

有了这两次善意的谎言后，翔翔专心听讲的劲头更足了。过了一段时间，老师真的主动跟我说孩子现在听讲进步特别快。回家后，我第一时间把这个好消息告诉了翔翔，他兴奋地表示还要继续努力，争取做得更好。

面对孩子的听讲问题，一开始我也特别生气，想回去就狠狠地教训孩子一顿，但冷静下来后，理智告诉我，家长应该从孩子的心理出发，要想办法来引导孩子主动改掉坏习惯。因此我采用了“善意的谎言”这个方法，调动了孩子的内驱力，引导他主动改掉了听讲不专心的坏习惯。

善意的“谎言”可以帮助孩子获得继续努力的动力，建立起还能做得更好的信心。但善意的“谎言”不能常用，适当使用才有奇效。

让孩子的进步显现出来

在翔翔小学中年级时，我带他去上了一个语文课外辅导班。班里有一位叫牛牛的小朋友，他没有同龄孩子活泼，经常独来独往，还有一点儿口吃，常低着头，不敢高声讲话。语文课外辅导班的小张老师非常善于教学，她发现牛牛的周记写得很好，就抓住这个闪光点，经常在班里表扬他，每当老师夸赞牛牛时，都能够看到他眼神中闪烁出欣喜的光芒。

经过几次鼓励，牛牛的学习状态慢慢发生了改变。不过，虽然牛牛付出了很大的努力，可是因为底子太薄了，一个个“合格”埋没了他微小的进步。新学期，为了更好地帮助牛牛，使他看到自己进步的过程，小张老师给他列了一张“进步表”，只要进步一分，老师就在表上给他画一个红五星，一学期只要能攒够10个红五星，期末老师就发给他一张奖状。到了期末，牛牛获得了十多个红五星，不光换来了一张大奖状，还得到了老师送给他的进步礼物。在牛牛的不断努力下，第二学期他的成绩单上陆续出现了“良”的成绩。

有些孩子和其他孩子相比有着较大的差距，微小的进步很难显现出来，时间久了，也会影响孩子的信心。面对这样的情况，家长可以通过进步表、成长袋等方式，让孩子的进步显现出来，使孩子能够看到自己成长的轨迹，从而提升继续努力的动力。

很多家长可能会疑惑，既然肯定孩子这么重要，是不是在教育孩子的过程中只需要表扬、鼓励？其实不然，表扬与批评是一对“好朋友”。如果只表扬，孩子会得意忘形、骄傲自满；如果只批评，孩子会自卑自弃、没有信心。因而，在教育孩子的过程中需要两者兼顾，以表扬、鼓励为主，适当批评，让孩子在表扬和鼓励中能以一种积极的心态来学习、做事，在适当的批评中认识到自己的不足，明确努力的方向，进而更好地奋发进取。

鼓励具有神奇的作用，一句简单的“你真是太棒了”，一个欣赏的眼神，一个竖起的拇指，都会让孩子充满力量。但鼓励也要恰当应用，家长应多鼓励孩子继续努力，而不是夸他聪明、漂亮等先天优势；鼓励要真诚，要结合具体的事情，而不是浮夸；在鼓励的同时可以适当给孩子提出一些建设性的建议，让孩子明确努力的方向。在家长的鼓励下，孩子自信的火种会被点燃，有了克服重重困难的力量，进而去追寻自己的理想之光。

积极有效的亲子沟通

“沟通”一词可以拆分成“沟”和“通”：因为亲子关系“堵”了，所以才要“通”；但要想“通”，功夫应该下在“沟”上。积极有效的亲子沟通，体现着家长的教育智慧。

孩子的世界里除了欢声笑语，也有烦恼和彷徨，有些孩子特别爱和家长说说学校里的新鲜事，这样家长也就可以了解孩子的心理，及时给予指导。但也有些孩子不愿意与父母进行交流，父母逼问半天，孩子要么不说，要么说的也不一定是实话，甚至等孩子出了比较严重的问题，家长才知道孩子的情况。

那怎样才能在亲子交谈中让孩子的心和家长的心相“通”呢？其实，在沟通中只要把握好以下这几点，很多问题就好解决了。

克制情绪，平等对话

人们常说："七岁八岁讨人嫌。"这个年龄段的孩子比较淘气，难免给父母惹来很多麻烦。很多家长会经常被气得火冒三丈，觉得孩子把自己的脸都给丢光了，于是把孩子狠狠地打一顿，常常还一边打一边说一些"不争气"之类的话。父母的这种做法，会使得孩子遇事总想瞒着父母，渐渐和父母产生隔阂，越来越叛逆。

惩罚是一些家长常用的方法，相对于其他方法来说更简单容易，但是它的教育效果是短期的。这也正是很多家长困惑的地方：为什么打骂完孩子没几天，同样的问题就又出现了。惩罚还会让孩子认识不到自我价值，产生自卑心理和叛逆情绪，变得更加难以管教。

其实，孩子犯错误的过程，正是他们成长的过程。面对孩子的各种问题，家长不管有多么生气、恼火，一定要克制好情绪，不能说一些不该说的狠话。发脾气只能代表家长没有别的办法了，这会让孩子和家长之间产生隔阂。家长在管教孩子时要做到"着急不说话，说话不着急"。家长只有改变居高临下的教育态度，和孩子平等对话，真诚沟通，了解孩子内心的想法，告诉孩子错在了哪里，再遇到类似的问题应该怎样去做，才能让孩子从内心里愿意接受家长的教育指导，并在解决问题的过程中得到成长。

学会倾听，积极共情

一天晚上临睡前，翔翔对我说：“妈妈，我们班午餐时负责给大家盛汤的那位叔叔对我们的态度一点儿也不好。”我当时一看时间也不早了，就对他说：“行了，跟你也没关系，赶快睡吧。”孩子刚刚打开的话匣子就关上了。

第二天，老师给我打电话，简要地跟我说了一下翔翔中午在学校发生的事情。原来，翔翔中午一看盛汤的叔叔没来，就要过去给同学们盛汤，这时叔叔来了，吼了他两句，他一赌气，就跑到操场上生闷气，不吃午饭了，老师劝说了半天，他才到办公室简单吃了点儿东西。听完老师的讲述后，我脑袋一阵嗡嗡，想冲过去问问孩子情况，让他以后遇事别那么冲动。过了好半天，我的心情才平复了一些，也恢复了理智，开始想什么时候跟孩子谈、怎么谈，以避免把沟通变成指责。

下午放学时，我赶到学校接孩子。他从校门口走出来，脸上还有泪痕，但他强装成什么都没发生。看到他的这份掩饰，我知道他还能控制好自己的情绪，心里反而踏实了一些。在回家的路上，我觉得环境比较嘈杂，不适合交谈，因而什么都没问。在家吃完晚饭后，我问翔翔：“今天是怎么回事，和妈妈说一说。”这时，翔翔的泪珠开始噼里啪啦地掉下来，和我一五一十地讲述了中午在学校发生的事情。我几次想打断他的话，发表一下自己的想法或者给他提点儿建议，但是都努力克制住了，除了“嗯”“然后呢？”等对孩子的呼应，没有别的插话，努力让孩子把事情说完。翔翔说完后，情绪得到了宣泄，也冷静了许多。这时，我问他：“以后再遇到类似的事情你打算怎样解决？”翔翔想了想，说道：“以后盛汤的叔叔要是没来，我应该问问老师由谁来盛汤，但那位叔叔吼我也不对。”“还有吗？”我追问道。“再有就是我也不应该气得不吃午饭。”我一听他自我分析得还挺好，便没有再说什么，这件事情就这样“翻页”了。

回想起这件事情的全过程，我对自己的处理还是比较满意的。首先，我选择了一个合适的时间和环境与孩子沟通。当事情发生后，我没有在接孩子的路上马上就问他，一方面是因为环境不太合适，还有就是想给孩子一个调整情绪的过程。其次，在孩子倾诉时，我选择了耐心倾听，而不是上来就讲道理。孩子边擦眼泪边诉说，让我知道他当时的情绪还是比较激动的，他需要先把情绪宣泄出来，而不是听我的建议，因而我选择了耐心倾听。最后，我给予了孩子一个自我反思、总结的机会。孩子讲完后，慢慢恢复了正常的情绪和理性的思考，自然也就能做出正确的选择。

家长因为和孩子有年龄和阅历上的差异，因而常常生活在自己的价值判断中。当孩子遇到问题时，家长常打着“一切都是为了你好”的口号，对孩子指指点点，并没有站在孩子的角度上去体会他的感受，这就容易形成家长说的和孩子想的完全不在一个思路上的情况。时间久了，孩子就会变得越来越沉默，或者和家长说不了几句就争吵起来。心理学家卡尔·罗杰斯说：“一旦有人倾听，看起来无法解决的问题就有了解决的办法，千头万绪的思路也变得清晰起来。”因而，家长要学会引导孩子倾诉，并做一个好的倾听者，这对于事情的解决至关重要。倾听是积极有效的亲子沟通的前提，有助于家长更好地与孩子共情。家长认真倾听的过程会让孩子感受到家长对自己的理解与认可，只有孩子的心门打开了，才能建立起家长与孩子沟通的桥梁。孩子在倾诉的过程中，如果已经将思路梳理清楚了，并找到了解决问题的方法，那家长也就不需要再指点了。如果孩子还很迷茫，家长就再给予适当的建议，引导孩子来解决困惑。

换位思考，有效引导

表妹的女儿涵涵上小学二年级时，发生了一件事情，让涵涵烦恼了很长一段时间。

事情是这样的，有一段时间班里流行收集各种笔，涵涵爸爸把自己当年上学时用过的一支钢笔送给了女儿。涵涵非常喜欢这支钢笔，把它带到了学校。班里的另一位同学也很喜欢这支钢笔，就对涵涵说：“我家里也有一支漂亮的钢笔，我用那支钢笔和你的交换，行吗？”涵涵也没有多想，就同意了，把笔给了那位同学。但是一连几天过去了，那位同学并没有把承诺的钢笔给涵涵带来。

涵涵又害怕又委屈，回家跟爸爸说了这件事情。爸爸听后，并没有批评涵涵，而是耐心地问她："既然你的同学没有给你钢笔，你为什么不把自己的钢笔要回来呢？"涵涵耷拉着脑袋说道："她平时和我玩得特别好，我怕要回笔的话就失去这个朋友了。"爸爸摸着涵涵的头说道："你遇到困难愿意把想法告诉爸爸，爸爸感到特别欣慰，爸爸非常理解你的心情，遇到一个能玩到一起的伙伴确实不容易。我小时候也常常遇到类似的事情，在解决问题的过程中，我逐步认识到，友谊并不是靠低三下四求来的，而是在平等、互相理解和帮助的过程中发展起来的。也许你的朋友只是单纯地喜欢这支笔，并没有意识到'互换'这个承诺对你的重要性。"涵涵觉得爸爸说得很有道理。然后爸爸问涵涵："这件事情，你打算怎么办呢？"涵涵毫不犹豫地说道："我明天要告诉我的同学这支笔对我来说非常重要，我要把它要回来。"爸爸微笑着点点头，接着说道："你看，前几天我去外地开会，别人发给我一支笔，也很精美、好用，把它送给你的朋友吧。"

后来，涵涵顺利地解决了这件事情，她们的友谊也没有因为这件事情受到影响。

涵涵遇到自己解决不了的问题愿意告诉爸爸，从这个角度可以看出这对父女的感情特别好，平时注重情感的沟通交流，家庭氛围也很融洽。当爸爸得知涵涵把自己珍藏了多年的笔送给了同学，并要和她进行"交换"，而同学并没有兑现承诺时，并没有批评她，而是耐心地和孩子沟通。涵涵在爸爸的引导下，把自己真实的想法讲了出来。爸爸并没有直接告诉孩子这件事情应该怎样解决，而是讲述了自己在成长过程中的一些感悟，让孩子自己来做决定。在父女融洽的沟通中，涵涵提升了分析和解决问题的能力。

孩子常常会遇到一些困惑。有的孩子看到别人作弊，取得了好成绩，不知道自己是不是也可以走这条“捷径”；有的孩子因为与同学间的一点儿小摩擦，而被排挤到了小圈子外，非常苦恼；还有的大一些的孩子开始有了早恋的心理，不知道该如何解决，也不敢告诉他人……要想帮助孩子走出迷茫，克服心理压力，家长要多主动与孩子沟通，倾听他们的想法。当家长了解到孩子的真实想法后，要站在孩子的角度上考虑解决办法，从而帮助孩子疏解压力、解决困难，引导他们的心理逐步走向成熟。

面对孩子身上的各种问题，家长切不可急躁，一定要通过有效的“沟”来进行疏导，从而达到“通”的目的。和睦平等的家庭氛围、良好的亲情关系是有效沟通的前提。在沟通时，家长一定要克制好自己的情绪，和孩子平等对话，静下心来倾听孩子说话，换位思考。家长要努力和孩子并肩而行打败问题，千万别变成和问题一起打败孩子。

处理好“学”与“玩”的关系

“学”与“玩”是一对好朋友，它们既相互促进又相互矛盾。孩子只有处理好“学”与“玩”的关系，才能学得踏实高效，玩得开心痛快。

学习是学生的重要任务，而玩耍又是孩子的天性。学与玩有时相互矛盾，有时又相互促进，那如何处理好学与玩的关系，让孩子既学得专心，又玩得开心呢？这还真是让很多家长头疼的问题。

不剥夺孩子休息、玩耍的时间

阿亮是我堂弟的儿子，小时候长得白白胖胖，人也很机灵。堂弟一家对儿子期望值特别高，在学前就给孩子报了不少辅导班。刚入小学不久，堂弟就及时向老师了解儿子的学习情况，老师对阿亮的评价很高：专心听讲，积极发言，认真写作业等。全家人听后都很高兴。但两个月过后，老师就向堂弟反馈阿亮一到课间就玩得特别疯，课上听讲注意力不集中，玩东西，练习能不写就不写。堂弟听后很着急，对阿亮又是批评又是惩罚，也不见效果。堂弟只好再次求助于老师。老师问阿亮："你为什么不专心听讲呢？"阿亮说："每天晚上写完作业，我要复习功课、练习弹钢琴和下围棋。周末我还要上奥数、学英语、击剑、钢琴、围棋，也没有休息的时间，太累了，在学校就想玩会儿。"

原来，堂弟把阿亮的课余时间安排得太满，平时晚上和周末时间妈妈盯得紧，使得阿亮的精神总处于紧张的状态，由于没有玩的机会，所以阿亮玩的愿望特别强烈，就出现了在学校自我放松的现象。听了儿子的话，堂弟意识到确实给孩子安排了太多任务，让孩子压力有点儿大。

了解了孩子的心理后，堂弟对老师说道："我以前认为玩纯属浪费时间，就给孩子安排得满满的，哪个都不舍得放下，这样做在短时间内可能会见到效果，但是时间一长，反而使得孩子对学习产生厌倦情绪。"回到家后，父子俩进行了沟通，堂弟告诉阿亮学习的重要性，希望阿亮能以一种积极、主动的状态来学习。同时，在征得阿亮的意见后，堂弟取消了一些课外内容的学习，给孩子适当的放松时间。在这次沟通和调整后，阿亮很快又找回了原来的学习状态。

对儿童来说玩耍具有重要的、不可替代的意义，很多家长望子成龙，对孩子玩的时间管控得特别严格。但孩子毕竟年龄小，心智发育不成熟，需要宽松的学习氛围和适当的休息娱乐。否则，孩子会因为承受不了超负荷的学习任务而过度疲劳，对学习产生厌倦心理，失去学习兴趣，从而降低学习质量。

家长要能够正确地看待学与玩的关系，对于年级比较低的学生，家长不要把孩子的时间安排得太满，要给他们留出足够的玩耍和休息时间。对于年级比较高的孩子，家长要引导他们合理规划时间，自主完成学习任务。但无论在哪个年龄段，都要让孩子认识到学习的意义，能够积极、主动地学习，提高自律意识。

引导孩子学习要踏实、有效率

有一些孩子也养成了边学边玩的坏习惯，但和阿亮不同的是，他们并没有太重的学习负担。这些孩子上课时常常边听讲边玩各种小东西，或者没听一会儿小脑瓜就“溜号”到别的地方去了，写作业时也是边写边玩，有时几块橡皮就能玩半天。因为注意力不集中，白天听讲质量不高，晚上写作业用时长、错题多，睡得晚，因而成绩不好。家长非常着急，对孩子批评了也惩罚了，但孩子由于年龄小，自律性差，过不了几天就回归老样子了。

造成这种情况的主要原因是在孩子入学前后，家长没有帮他们建立起正确的学习观念，同时监管不足，使得孩子养成了边学边玩的坏习惯。坏习惯一旦养成，改起来是非常困难的，因而从孩子学前起，家长就应该让孩子明白只有学的时候踏实认真，玩的时候才能痛快轻松。孩子从思想上愿意用心学习，有自我约束的意识，学习的效率和质量自然就高。同时，家长也要加强监管，促进孩子良好习惯的养成。

记得儿子刚升上小学三年级时，学校作业的难度明显增大，而他写作业时马马虎虎，非常不认真。为此，我给他又单独留了一些课外练习，想帮助他巩固知识。但结果是校内的作业质量并没有得到提升，课外的练习磨磨蹭蹭写到很晚。面对这样的情况，我和儿子一起制定了一个奖励机制：如果他能够抓紧时间认真完成当天的学校作业，并且写完后还能仔细检查，那么课外练习就减半。儿子对这样的一个奖励机制很感兴趣，写作业的质量和效率明显提升了。由于学校作业完成得好，课外的练习自然就给他减少了，剩余出来的时间就让他自己安排。

学期末，学校鼓励孩子们给自己制定假期时间安排表，于是翔翔给自己制定了时间表（见图）。在整个假期中，孩子自己定好闹钟，每天早上七点半准时起床，晚上九点半准时休息。我每天早上给他做好早饭就去上班，下班后问问孩子一天的时间安排，如果他做得很好，就及时给予肯定。

通过奖励机制和时间安排表能够引导孩子提升珍惜时间和自我管理的意识，帮助他们改掉一些坏习惯。由于孩子年龄比较小，在实施的过程中一定离不开家长的监督和帮助。

引导孩子玩得有意义

小崔是翔翔上小学时的一位好朋友。小崔非常喜欢玩魔方，常把魔方带去学校，课间有时候自己玩，有时候教同学们玩。在妈妈的鼓励下，小崔参加了一些魔方比赛，虽然没有取得什么理想的成绩，但是在比赛中他见识了更多高水平的选手。小崔还和其中一位年龄相仿的参赛同学加了微信，有时互相切磋一下玩魔方的技巧，小崔的梦想就是登上魔方比赛的领奖台。

而翔翔很喜欢打篮球，放学后常和几位同学在操场上打一会儿球。通过打球，他提升了身体素质，在繁忙的学习中总能保持旺盛的精力。

上了初中后，翔翔班里有一位很有社会公益爱心的同学，他常利用周末时间组织身边的同学去路边管理共享单车。他们每次会带上钳子、抹布等工具，把共享单车擦干净、摆放整齐。如果看到共享单车被上了私锁，就用自己带的钳子把私锁弄开……这一干就是三年。翔翔也参与了其中，每次回来都满身是土，但是心情特别好，我能够感受到他的劳动能力和公益意识在活动中得到了提升。这群少年的公益行动多次受到学校的表彰，他们也在活动中有所收获和成长。

玩耍是儿童的天性，会玩的孩子在玩的过程中提升了技能、增进了友谊、增强了体质、放松了身心……玩得有质量、有意义。但也有一些孩子不会玩，要不就是成天打游戏，要不就是不知道该玩什么，身边也缺少与他互动的伙伴。因而，家长对孩子的玩要加以引导，让孩子爱玩、会玩，在玩中成长。

引导孩子学以致用

在孩子的世界里，玩耍、学习、生活是相互交融又相互促进的。家长可以引导孩子在玩耍和生活中学以致用。

很多家长总觉得孩子年龄小，就应该被照顾，把学习搞好就行了，孩子干点儿事情还嫌他们碍手碍脚。这样就容易导致孩子生活能力低下，对所学知识也缺乏灵活应用的能力，不能感受到知识的价值。

学以致用对家长来说是一种教育理念，对孩子来说更是一种能力。

在幼儿园时，孩子会学习一些基本的生活技能，如穿衣服、叠衣服等，对此，家长可以让孩子在生活中及时巩固、应用这些生活技能，提高自理能力。在小学低年级学完认识人民币后，家长可以在外出购物时，鼓励孩子通过价签来比较一下同一类商品中哪个更实惠，让孩子算一算购物花了多少钱。学完认识钟表后，家长可以给孩子买个小闹钟，让孩子自己来看时间。孩子到了高年级，所学知识更多、更综合了，因此，在外出旅行前，家长可以让孩子上网查阅当地的风土人情，给全家人购买车票，并鼓励孩子在境外承担翻译任务……

学以致用体现在生活的方方面面，只要家长用心引导，给孩子锻炼的空间，肯放手，孩子就会提高学以致用的意识，在生活中主动应用所学知识，感受知识的价值，获得成就感，同时促进了学习内动力的提升。

学习和玩耍并不总是相互矛盾。只玩不学，学业就会荒废；只学不玩，学习热情就会减退。家长要引导孩子主动合理规划好时间，让学与玩都有质量。同时，家长可以创设机会，鼓励孩子做生活的小主人，在生活中应用知识，感受知识的价值。

坚持还是放弃？

学习道路上的快乐是建立在辛苦拼搏和付出之上，成就的背后是不懈的努力和执着的追求。

有一次，我在广播里听到一个有趣的话题。主持人讲了这样一个小例子：一个小女孩非常喜欢跳舞，她的父母就给她报了一个舞蹈班，学习了一年后，女孩提出不想学了，父母也没有强迫她继续学习，认为童年的快乐是最重要的，因而舞蹈就此放弃了。多年后，小女孩对当年放弃跳舞这件事情有些后悔，因为她内心还是很喜欢跳舞的，只是觉得压腿比较疼，怕吃苦，就不想坚持了。对于孩子是应该坚持还是放弃，很多听众都纷纷留言。有的听众认为应该放弃，既然孩子觉得压腿很疼，不快乐，就不要练了，天性应该得到释放。但更多的听众认为还是应该坚持，遇到一点儿困难就随便放弃，将会一事无成。

学习每一项技能的过程中都会遇到瓶颈，让孩子觉得无法逾越，有想要放弃的念头。当孩子面对困难想要放弃时，家长应该怎样对孩子进行引导，是很多家长最大的困惑。

确实不喜欢，也不强求

跃跃妈妈曾给我讲了跃跃学习技能的经历。跃跃妈妈在学生时代就想成为一名小提琴手，但是这个梦想没有实现。她让儿子从五岁起学习拉小提琴，跃跃虽然并不喜欢，但在妈妈的要求下每天坚持练琴，已经拉了两年了。学习拉琴的过程中，跃跃没少挨批评，在跃跃看来学习拉琴就是受罪，因而学得也不太上心，进步很慢。跃跃更加向往奔跑的球场，一个偶然的机会，跃跃进入了学校的足球队，这让他欣喜不已，每天放学后和其他队员一起在老师的指导下进行训练，虽然风吹日晒，但他一点儿也不觉得苦。

由于这两件事都很占用时间，因而跃跃几次提出来不想再学习小提琴了，跃跃妈妈虽然觉得很可惜，但最后还是尊重了孩子的想法。因为有了更多的时间来练习足球，跃跃踢球的水平进步很快，没多久就成了学校足球队的主力。

很多家长都希望自己的孩子能够有一个兴趣爱好，为此花费了大量的心力进行培养。其中难免有些是家长自己喜欢的，或者看社会上流行学习什么，就把它强加给孩子，但孩子对此并不感兴趣。每一个孩子都是一个独立的个体，他有自己的喜好，家长应该尊重孩子的意愿，根据孩子的兴趣爱好来加以选择。

内心还是很喜欢，就要努力坚持

畅畅也是我的一位小侄女，她学琴一路走来，家长在背后付出了很多努力，我都是看在眼里的。畅畅的爷爷每周都要带她去学琴，每节课老人都亲自记笔记，回来再指导、督促孙女练习。

有一次，畅畅要考级，曲目对她来说有一定的难度，她练习了一段时间后，还是不太熟练，但考级的日期已经到了，畅畅只好硬着头皮去考。成绩果然不理想，她没有通过。畅畅很失望，不想再继续学琴。但是爷爷告诉她，在学习的过程中遇到一些坎坷、困难很正常，迈过这个坎，琴技会有一个质的飞跃。在爷爷的鼓励下，畅畅抱着试一试的心态继续练习。经过半年的努力，畅畅终于顺利通过了这个等级的考试。

有了这次经历，畅畅在学琴的路上学会了吃苦和坚持，同时也更喜欢弹琴了。现在畅畅每天能自己主动安排好练琴和学习的时间，力求做到两不耽误。而且每当学习累了或者遇到什么烦心事时，她就弹弹自己喜欢的曲子来调节放松一下。

孩子在学习某项技能的过程中，总会遇到各种各样的困难，由于年龄小，意志力薄弱，难免会想到放弃。这时家长一定要问问孩子想放弃的原因，如果孩子的内心还是很喜欢，只是觉得眼前的困难难以克服，家长就应该鼓励孩子坚持下去。

在学习任何技能的过程中，都会遇到瓶颈，这是迈上新台阶必须经历的过程，过了这个瓶颈，就会有一个质的飞跃。在跨越困难的过程中，孩子也收获了勤学苦练和不懈坚持的宝贵精神财富，这不也正是学习技能的重要意义之一吗？

很多孩子长大后，会真心感谢家长当初在他想放弃时的坚持，也正是因为有了家长的那份坚持，他们才有机会感受到学习所带来的深层次快乐。

有的孩子提出不想再继续学习了，也可能是有一些客观原因，如换了新老师不太适应、上课地点离家太远了、奔波太辛苦等。如果是这些原因，家长就要有针对性地进行调整，让孩子的学习能够坚持下去。

心理学家本杰明·布鲁姆曾研究了不同领域和行业中许多杰出人物的童年，结果发现，这些杰出人物在孩提时代，其父母曾想尽办法防止他们半途而废。我国古代就有“子不学，断机杼”的故事，面对孟子的逃学，孟母很生气，用“断机杼”使孟子明白半途而废将会一事无成。在孟母的教育下，孟子开始认真学习，最终成为著名的思想家、政治家和教育家。

孩子由于年龄较小，考虑问题不够全面和长远，所以会本能地畏难。这时，就需要父母细心观察，积极引导，以一个更高、更长远的角度来帮助孩子做出选择，当然，有时这个选择并不一定是愉快的。每个孩子少年时期的努力都不会白费，机会永远属于有所准备的人。孩子在学习的道路上收获的鲜花与掌声的背后一定是不懈的坚持和付出。

坚持还是放弃，还需要因人、因事、因具体情况而定。定位在哪里，高度就在哪里。辛苦付出不一定能成功，但半途而废一定不会成功，任何成就的背后都写着艰辛和执着。学习的快乐是苦尽甘来的快乐，这种快乐也是耐人寻味和让人受益终身的。

面对差异，有效引导

每个孩子都有其自身独有的特点，家长只有根据孩子的特点最大化地发展其长处，才能让孩子展示出自己特有的光芒。

“十年树木，百年树人。”不同的树木有其不同的生长特点，只有顺应树种的生长规律，才能让它们成长为栋梁之才。对孩子的培养，同样需要根据孩子自身的特点，因材施教，扬长避短，唤醒潜在能力，让孩子成长为最优秀的自己。

针对孩子的特点，因材施教

有一天，子路对孔子说：“听到什么就行动起来吗？”孔子说：“你有父亲兄长在，你怎么能听到这些道理就去实行呢？”过了一会儿，冉有也来问：“听到什么就行动起来吗？”孔子说：

“应该听到后就去实行。”公西华问道：“先生，子路问是否闻而后行，先生说有父兄在。冉有问是否闻而后行，先生说应该闻而即行。我弄不明白，请教先生。”孔子说：“冉有为人懦弱，所以要激励他的勇气。子路武勇过人，所以我让他谦退。”

孔子是一位伟大的教育家，他提倡因材施教且亲身实践。后来，朱熹在《论语集注》中说：“夫子教人，各因其材。”“圣贤施教，各因才，小以小成，大以大成，无人弃也。”所谓因材施教，就是要根据不同对象的具体情况，采用不同的教育方法实施教育。孔子面对不同性格的弟子就采用了因材施教的教育方法。知子是教子的前提，家长只有准确把握孩子的特点，才能有针对性地加以引导。

有几位小朋友成绩都不太理想，但他们成绩不好的原因各不相同。有的是课上听讲不专心，因而知识学得有漏洞；有的是听讲发言还行，但考试时总看不懂题目的意思；还有的则是玩心太重，写作业时不够专注……家长只有找准了原因，才能有针对性地加以引导。对于知识学得不扎实的同学，要鼓励他专心听讲，家长严把作业关，适当加强基础练习；对于读不懂题的同学，要加大孩子的阅读量，并且加强练习，拓展思路；对于玩心重的孩子，家长则要加强管束，对孩子提出学习要求，并且加以监督……总之，家长只有在了解了孩子学习问题的成因后，有针对性地加强指导，才会收到较好的效果。

对于孩子的长项，家长要细心观察，积极培养。翔翔和小崔是好朋友，我和小崔的妈妈关系也很好。后来，两个孩子上中学就不在一起了，但我们还常联系。小崔小学时就非常喜欢数学，一直在上奥数班，并且学得津津有味。在寒暑假，小崔家长就鼓励他把数学书当成课外书来阅读，读完了本册的就读下册的。五年级时，小崔就已经读完六年级的数学书了。上了中学后，小崔对化学非常感兴趣，同学还在学高一化学，他就已经跟着网课学习高二的化学了。

在教育中，发扬孩子的长项非常重要。家长要用“放大镜”去找寻孩子的兴趣爱好，用“望远镜”去看孩子长远的发展。让孩子沿着长项成长，让每个生命都有自己的个性，活出独特的精彩。

每个孩子都是一株独特的花儿。就像花的种类不同，培育方法就有很大的差异一样，要针对孩子的长项和不足，因材施教，有针对性地加以引导，促进孩子更好地成长。

面对晚熟的孩子，静待花开

花儿不同，花期也不同，对孩子的教育同培育花儿有很多共同之处。有的“花株”在家长的精心照顾下，“花朵”早早盛开，家长自然欢天喜地；而有的“花株”虽然家长也花费了不少心血，却似乎毫无“开花”的迹象，家长难免特别焦虑。

记得我上小学的时候，学习成绩并不是很好，常常被老师留下来补课，父母也很着急，在家里也没少补，但效果不明显。直到上了小学六年级，我才有了应该好好学习的意识。读初中后，我在学习上向周围同学学习，摸索出了一些好的学习方法，成绩有了很大的进步。

晚熟一般是指生理和心理发育速度比较慢。很多家长面对孩子的晚熟着急、焦虑，常常暴跳如雷，让孩子产生自卑心理，而孩子成长进步的速度仍然很慢。研究表明，晚熟并不意味着不如别人，也许会后劲更足。资深的养花人都知道，在花儿静默的时间里，也许它是在把根扎得更深，也许它是在积蓄能量酝酿最美的花朵，又或许它根本就不是一株花，而是一棵还没有长成的小树。那面对成熟较晚的孩子，家长能做的只是安静地等待吗？当然不是，在“花儿”静默的过程中，家长要克服急躁情绪，付出更多的耐心和关怀，给他们温暖和滋养，鼓励肯定他们的进步，直到他们开出自己独有的“花朵”。

适合自己的就是最好的

我家翔翔中考那年，我深感中考是孩子人生中的一件大事，我们作为考生的家长也要有良好的心态。有的孩子中考成绩很好，去了自己满意的学校；而有的孩子发挥不太稳定，去了自己不是很满意的学校。家长和孩子都难免进行各种比较，比成绩、比学校，比来比去，心态失衡。

一次，我和小崔的妈妈聊到两个孩子的成绩。她说："孩子的成绩没有什么可比性，只要孩子尽力了就好。孩子考上哪所中学，哪所学校就是最适合他的，只要他在这个新的起点上继续努力就好。也不必盼着孩子考上超出他实力范围的高中，那样孩子太累，容易产生心理问题，心理问题常常比学习问题更难解决。"听了她的话，我也深表赞同，过度的比较只会让问题更加糟糕，使得孩子和家长的心态失衡，适合他的就是最好的。

"金无足赤，人无完人。"家长们不要总拿自己的孩子去和别的孩子去比较，比学习、比身高、比性格……常常是孩子哪项弱就比哪项。孩子不可能每个方面都很优秀，比来比去，只会让孩子产生自卑心理。人生路漫长，某一阶段某一方面的突出或不足并不能说明什么。作为家长，我们也不能以一个孩子作为衡量另一个孩子的标准。过度的比较就是揠苗助长，适合自己的就是最好的。家长要保护好孩子的自信心，让他轻松上阵，给孩子一些时间，肯定他努力的过程，让孩子保持不断前行的势头，努力实现最好的自己。

苏联教育家苏霍姆林斯基曾说过："教育工作的实践使我们深信，每个孩子的个性都是不同的，而要培养一代新人，首先要开发每个学生的这种差异性、独立性和创造性。"每个孩子都有所长、有所短，父母要充分了解孩子的自身特点，因材施教，最大化地发展其所长，让长项带动弱项，逐步完善，让孩子散发自己独有的光芒。

让家校沟通更有实效性

古人云：“养不教，父之过；教不严，师之惰。”从古至今，家庭教育和学校教育就是一个整体。

孩子的成长会受到家庭和学校双重教育的影响，只有家长和学校有效沟通、密切配合，才能促进孩子全面、健康地成长。

家长主动校访，了解孩子的情况

家校协作对孩子的成长非常重要，老师平时的工作非常繁忙，班主任只能利用有限的时间与班里特殊学生的家长进行沟通，不可能做到经常与每一位家长沟通孩子的情况。很多家长认为，老师不找自己，就说明孩子没有问题。也不尽然，每个孩子都有不同的发展空间。家长主动联系老师，可以让家校更早、更密切地建立起联系，更好地促进孩子发扬长项、弥补不足，从而全面发展。等到老师主动联系家长时再来解决问题，困难会更大。

我家翔翔刚刚升入初三的时候，我想了解一下他的学习情况。于是，我就主动联系了他们的新班主任杨老师，约好了见面的时间。我到学校后，杨老师热情地接待了我，向我介绍了翔翔对待体委工作认真负责，积极开展班级体育工作等情况。老师讲的这些内容，让我大为吃惊，我平时只关心他的学习，还真不知道他把班级体委工作干得这么出色，老师的讲述让我对孩子有了一个更加全面的了解。接着我又去英语老师那里问询了一下翔翔的英语学习情况，在与英语老师短短几分钟的沟通中，我一下子就了解了孩子英语成绩薄弱的原因，老师也给我提出了几条改进的措施。当我准备离开学校时，天已经黑了，教学楼的灯还星星点点地亮着，我深感这次校访收获满满。

在家里，我根据老师的建议对孩子的英语学习加强了有针对性的引导。因为有了我与英语老师的沟通，老师对翔翔平时英语课上的学习给予了更多的关注。在家校的积极配合下，没过多久翔翔的英语成绩就有了进步。

我的一位朋友在和老师沟通孩子的情况时，特意向老师介绍了孩子在校外学习朗诵的情况。后来，如有需要代表班级去朗诵的机会，因为老师不了解别的同学，所以每次都会推荐她的女儿去，在这些活动中孩子各方面的能力都得到了很好的锻炼。由此可见，家长和老师沟通时也可以说一下孩子的优点，如爱帮助他人、孝顺老人、热爱劳动、擅长某项技能等，让老师能够对孩子有一个全面的了解，给孩子更多的锻炼机会。

一个人的成长是多方面的，在家校沟通前，家长要做好相应的准备工作。家长校访时，要多角度了解孩子的情况，包括学习状态、班级工作和与人交往等方面。针对孩子的学科弱项，还可以了解一下提升的措施。家长也可以把孩子校外学习和在家里的情况介绍给老师。通过家校合作，可以更有效地帮助孩子发扬优点，弥补不足，全面发展。

家长和老师平时都很忙，家长有时间去学校了解一下孩子的情况更好，如果没时间，可以利用电话、微信等途径向老师了解孩子的情况。有的家长也有顾虑，怕打扰老师，其实老师是愿意进行家校合作的，花费十几分钟的时间来和家长沟通，对于开展对学生个体的教育工作和班级工作都会产生积极的促进作用，达到事半功倍的效果。

借助班级工作，引导孩子不断自我完善

很多家长都对此深有感触：孩子在家里常常耍赖，不爱劳动，不听家长的话，但是对老师的话都很上心，对自己在班里的工作、在同学心目中的威信更是很在意。

翔翔幼儿园的伙伴漫漫是个活泼的小女孩，但做事有时有点儿毛躁，就这个坏习惯没少让她妈妈费心，因而她妈妈想请班主

任老师给漫漫一个为班级工作的机会，也想借此机会纠正一下孩子毛躁的坏习惯。于是，老师把负责班级考勤的工作交给了漫漫，并且告诉她一定要保管好考勤本，及时记录，期末上交。

第二天一早，有同学在地上捡到老师昨天给漫漫的考勤本，不知被哪位同学给撕得面目全非。老师问漫漫这是怎么回事，漫漫一脸无所谓的样子，说道："我昨天忘了拿回去了，放在了学校的桌斗里，应该是被课外班的同学给撕坏了。"老师生气地对漫漫说："老师把班里重要的东西交给你，你怎能这么不爱惜？你这个毛躁的坏习惯还真得改改了……"

放学回家后，漫漫哭着把这件事告诉了妈妈，说自己把考勤本落在学校也不是故意的，老师对她的批评太严厉了。妈妈耐心地听完女儿的哭诉后，问漫漫："老师这次批评你是挺严厉的，妈妈听着都很心疼，就是不知道老师为什么这么严厉地批评你呢？"听了妈妈的问题，漫漫小声嘟囔着说道："哎！考勤本很重要，我不该把它落在学校，而且老师说让我改改毛躁的坏习惯。"妈妈一边帮女儿擦掉眼泪，一边引导漫漫："你看，毛躁这个坏习惯多耽误事情啊，以后做什么事情都要认认真真，赶快改掉毛躁这个坏习惯吧。"漫漫点点头。

第二天，漫漫主动向老师承认了错误，老师也把一本新的考勤本递给漫漫。此后，漫漫每天都认真地记录班级考勤情况，再也没有遗失过考勤本，毛躁的坏习惯改掉了不少。

一个人的成长，离不开学校和家庭的共同努力。有时候，因为孩子和父母太亲近，孩子就不太听父母的话，但孩子还是很在意老师和同学们对自己的评价。针对孩子的这种心理，很多家长都会和老师积极配合，甚至针对孩子的某一个不好的习惯，请老师给予帮助，促进孩子的全面发展。

正确面对老师“请家长”

家长们普遍都很担心老师“请家长”，认为老师“请家长”就是告孩子状。而且有些家长被“召见”后特别焦虑，回家就把孩子狠狠地训斥一顿，不但没有解决孩子身上的问题，反而使得亲子矛盾升级。面对老师的“召见”，家长应该怎样做才能收到良好的教育效果呢？

首先，换个角度看待老师的“召见”。

一次，我的一位同事在办公室讲了家长会后被老师留下的经历，她讲完后，我们都称赞这位老师太负责任了。

我同事的大儿子小安在家里非常闹，但她觉得七岁八岁讨人嫌很正常。一次家长会后，老师把她留了下来，我同事的第一句话就是“孩子是不是太折腾，给您添麻烦了？”。老师听后很诧异，连忙摆手。老师反映，小安课上总乖乖地坐着，从不发言，课下也是安静地走一走，很少与同学玩耍，对班里的工作也不热心，各种活动也不报名参与。当老师把孩子在学校的情况告诉我的同事时，她很诧异。因为家里的老二还没有上幼儿园，因此她对弟弟的照顾更多一些，对小安除了比较关注成绩，其他方面没有太在意。而且小安在家特别折腾，很不好管，没有想到在学校居然是这样的。她反思了一下自己的教育，可能平时对弟弟关注太多，忽略了老大，小安在家闹腾的表现是为了引起她更多的关注。回家后，我的同事和小安聊了老师跟自己沟通的几件事情。从孩子的口中，她了解到，小安在学校没有什么朋友，课间只能自己看书，上课了还没有从课外书的情节中走出来，老师讲的课也听不进去。对于班里的活动，小安认为没有什么用，所以也懒得参加。

我的这位同事每每说起这件事情，都特别感谢老师的那次“召见”。她平时只关注孩子的成绩，对孩子在学校的其他方面一点儿也不清楚。正是因为老师主动找她沟通，她才了解到孩子在学校的情况，了解了孩子的心理，今后才可以更有针对性地对孩子加以引导，帮助孩子身心健康地成长。

老师请家长绝不是一件坏事。每一个孩子都有优点和不足，只是有些孩子的问题比较严重，已经到了迫切需要改正的程度。而家长在这个时候也许还没有意识到问题的严重性，认为等孩子长大一些就会好了；或许家长已经意识到了，却不知道应该如何引导孩子。老师是除家长之外最关心孩子成长的人，且老师面对的是一个班级群体，能够“横向”发现孩子之间的差异，并且可以通过专业的方法解决不同类型的问题。因此，通过家校配合，可以帮助孩子尽快改正不足，全面成长。另一方面，家长不能回避孩子的问题，错过教育的最佳时机，从这个角度来讲，老师的及时“召见”既是在帮助孩子，也是在帮助家长。

其次，在与老师沟通的过程中重点商讨解决问题的办法。

我的同事把自己和孩子沟通的情况及时告诉了老师，并且和老师一起从以下几个方面同时入手来帮助孩子。

其一，暂时先不往学校带课外书了，鼓励孩子专心听讲，积极发言。家长每天回家后问问孩子老师今天讲什么了，认为谁发言最好。孩子描述后，家长对孩子的认真听讲给予肯定。

其二，老师给小安安排一个擦黑板的工作。通过劳动，小安增加了与其他同学合作沟通的机会，增强了集体责任感。

其三，鼓励孩子课间与同学们聊聊天、做做游戏，争取交到好朋友。

其四，家长平时多和孩子沟通，听孩子讲讲学校的事情，了解孩子的心理，及时给予肯定和引导。

通过积极的家校配合，多管齐下，小安有了很大的进步，他变得能够主动发言，热心帮助同学，还交到了两位好朋友，在学期末获得了班级“进步之星”的荣誉称号。

家校沟通的目的不是“告状”，而是一起探讨问题解决的办法。有些问题一次性就可以得到解决，而有些问题是孩子多年养成的坏习惯，需要有一个持续改进的过程。因此，家长在与老师沟通时要重点倾听老师对于孩子问题的改进措施，家长也可以把自己的一些想法、做法告诉老师，和老师一起商讨是否适合孩子。

最后，家长和孩子沟通时要讲求策略。

有些家长听老师反映完孩子的问题后，特别焦虑，相互埋怨，再把气撒到孩子身上，孩子在一旁呜呜地哭半天，家长也一肚子怨气，草草收场，什么问题也没有解决。

家长要想帮助孩子解决问题，就要理智地想想应该怎样和孩子谈老师提到的问题。家长可以先请孩子说说自己对问题的看法，接着再说说自己和老师的想法；然后，大家再提出一些自己认为合理的建议；最后，筛选出有价值的方案并确定下来。

一起交流对问题的认识，探讨解决问题的办法，最后筛选出最好的方案；让孩子参与每一个环节，明白每个环节的教育目的，最后从心底里愿意接受定下的解决方案。这样的教育过程才会是积极而有成效的。

苏霍姆林斯基曾说：“没有家庭教育的学校教育和没有学校教育的家庭教育，都不可能完成培养人这样一个极其细微的任务。”孩子的成长，离不开家庭教育和学校教育的密切配合，家长、老师双方的沟通协作对孩子的身心发展有着重要的作用。其实，无论是家长主动校访还是被老师“召见”，目的都是全面了解孩子的情况，发扬孩子的长项，协商解决问题的办法，通过积极有效的家校沟通和协作，引导孩子全面发展。

第三章

良方促孩子乐学、善学

——家长是孩子学习的引路人

著名心理学家布鲁纳曾说过："学习者不应该是信息的被动接受者，而应该是知识获取过程的主动参与者。"作为家长，我们需要注重培养孩子端正的学习态度、良好的学习习惯，让孩子在积极主动的学习过程中提升学习能力，为他们的终身学习奠定基础。求学路上，家长是最好的引路人。

阅读是孩子成长的营养剂

家财万贯，不如满室书香。书是孩子获取知识、增长智慧、充实精神世界的源泉，还可以帮助他们提升学习能力。让孩子们利用课余时间多阅读吧，这将会让他们受益终身。

我出生在山西省大同市，因母亲在气象局工作，所以我和妹妹小时候生活在市郊气象局的家属院里。这个家属院远离城市的喧嚣，有一种宁静悠闲的氛围。

小时候，从能认字起，父母就给我们订阅了很多儿童画报，母亲把一本本画报从书脊处用线订缝起来。我和妹妹每天最大的乐趣就是翻阅那些画报，一个个动人的故事，一幅幅精美的插图，深深地吸引着我们。读书帮我们打破了时空和地域的界限，跨越古今，享受到阅读带给我们的精神滋养。每天放学后，在等班车的时候，我就给小伙伴们讲书里的故事，我讲得眉飞色舞，伙伴们听得津津有味，无聊的等车时间就这样打发了。

再大一些时，我最爱看的书是《十万个为什么》，无数个在生活中令自己困惑的小问题被动脑筋爷爷一一揭开谜底，一边读一边又产生了很多新的问题，期待在后面或者下一本书中能够找到答案。读初中后，我一直很喜欢物理和化学两门学科，这可能是小时候阅读这些科普书籍的功劳吧。

蔡康永曾说："读书，就是在一切已知之外，保留一个超越自己的机会。"

人类上下几千年文明，书就是智慧的凝缩。阅读可以带孩子走遍世界的每一个角落；阅读可以让孩子与智者对话，汲取书籍中蕴含的道理，帮助他们逐步树立起正确的人生观和世界观；阅读可以让孩子看到历史，以史为鉴，在遇到坎坷时多了几分淡定和从容……

阅读还有助于提升孩子的学习能力。苏联教育家苏霍姆林斯基曾说："学生的学习越困难，他在脑力劳动中遇到的困难越多，他就越需要多阅读；就像感光力弱的胶卷需要更长的感光时间一样，成绩差的学生的智力也需要更明亮和更长时间的科学之光来照耀。"读书是一个全身心投入的过程，有助于提升孩子们的注意力和理解力。在阅读中，知识得到积累沉淀，渐渐融会贯通，形成一个完善的知识体系。

阅读对孩子的成长有着深远的影响，那怎样培养孩子的阅读能力呢？我曾参加过一个培养孩子读书习惯的交流会，会上阳阳妈妈的经验介绍，得到了在场家长们的一致认可。

营造良好的阅读环境

阳阳妈妈在家里精心设计了一个阅读角。她在孩子学习的书桌旁放了一个精致的大篮子，可以坐在里面看书。篮子旁边有一个小书架，上面摆放着孩子喜欢看的各种书籍。阳阳非常喜欢这个阅读角，每每坐在里面看书都觉得是一种享受。

每天晚上固定的亲子阅读时间

阳阳妈妈每天晚上都在固定的时间来陪孩子一起阅读。在阳阳小的时候，家长指着书上的字一个个读给他听。当他大一些，有了独立的阅读能力后，还是在固定的阅读时间，大家就读各自喜欢的图书。每天的亲子阅读时间，帮助阳阳养成了阅读的好习惯，保证了充足的阅读量。

一起讨论书中有意义的话题

每天吃晚饭时，大家都特别爱结合书中的话题各抒己见。有一段时间，阳阳在阅读《水浒传》。一天吃饭时，阳阳问爸爸："《水浒传》里的那些人为什么总打打杀杀的？"爸爸笑着答道：

“你这个问题问得特别好，《水浒传》的故事反映了北宋末年的社会矛盾和农民起义的深层原因……”有了爸爸的引导，阳阳就可以以一个更高的视角来接着读《水浒传》了，类似这样的讨论交流几乎每天都在阳阳家上演。通过交流进一步激发了阳阳阅读的热情，培养了他边读边思考的好习惯。

充分利用起身边的图书资源，选择有意义的图书

离阳阳家不远处有一个社区图书馆，妈妈常带阳阳去图书馆借阅图书。图书馆里读书的孩子特别多，很有阅读氛围，孩子在图书馆中会被这种阅读的氛围熏陶，自然而然就会爱上读书。因为阳阳读书速度快，阅读量大，所以充分利用起图书馆的资源，可以满足孩子更大的挑选需求。阳阳妈妈还特意提到，在孩子挑选图书时，家长要给他们充分的自由度，让孩子选择自己喜欢看的图书，在孩子还没有养成良好阅读习惯的时候，家长过度的限制会扼杀他们刚刚萌发的阅读兴趣。

毕淑敏曾说过：“让孩子爱上阅读必将是你一生最划算的教育投资。”书是孩子获取知识、增长智慧的源泉，孩子们在读书中实现了自我成长。培养孩子良好的阅读习惯，将会让孩子受益终身。

家财万贯，不如满室书香。

②

让孩子知道学习是自己的事情

用一只手来管理孩子，另一只手则放开，给孩子成长的空间。今天孩子对自己的学习负责任，明天才会对自己的人生负责任。

很多孩子学习非常被动。每天早上出门前，家长总是苦口婆心地叮嘱孩子听讲要专心，孩子也是敷衍地满口答应。但在学校听课时，他们早把家长的话忘了，不是走神就是手里偷偷玩东西，当老师叫他们回答问题时，他们常常一头雾水，不知道老师在问什么。晚上写作业时，也是需要父母不断催促，由于不专心，作业错误频出。面对孩子的这种学习状态，家长们非常无奈。其实，在孩子学习的过程中，起主要作用的是孩子的自主意识，如果自主学习意识没有建立起来，孩子被动的学习状态就不会得到改善。那应该如何培养孩子的自主学习意识，引导他们由被动学习转变为主动学习呢？

鼓励和适当放手，促进孩子内生动力的提升

外在动力是父母对孩子学习的要求和监管，内生动力则来自孩子的自主性。如果家长管得太多和太细，孩子就会外在动力过高，内生动力不足。有些父母的高压管理，使得孩子的内生动力得不到发展，产生被动和逃避心理，认为学习就是在做自己不喜欢做的事情，感受不到学习给自己带来的快乐和成就感。

因而，父母要适当减少外在动力，调动孩子的内生动力。让孩子认识到学习是自己的事情，有想学好的愿望，愿意通过自身的努力做得更好。

提升孩子内生动力的方法有很多，其中最常用的方法是帮助孩子确定目标。

小安上初中后学习成绩一般，我的同事很着急，又是请家教，又是陪伴、督促，但孩子学习改进不大。一次偶然的机会，小安参加了一个学校间的交流活动。在这次活动中，他有幸认识了一位重点高中的老师，这位老师非常喜欢小安。活动快结束时，小安对这位老师说："真希望高中能考到您所在的学校去。"老师说："好好努力吧，我在这所学校等你来。"就是老师的这句话，帮助小安确定了学习目标。经过一番努力，小安顺利考上了这所重点高中。

正如博恩·崔西所说："要达成伟大的成就，最重要的秘诀在于确定你的目标，然后开始采取行动，朝着目标前进。"

其实孩子只要心里有一个目标，就会为之而努力。如果孩子心中没有确定高远的目标，家长也可以引导他有一个近期的目标，让孩子在努力实现目标的过程中实现自主学习。

促进孩子的内生动力，除了定目标，还要多鼓励，让孩子在努力的过程中获得自信心和成就感。

翔翔在小学四年级时，老师推荐他参加一个团体科技比赛，他们的任务是制作一个月球基地模型。在前期的准备中，老师对翔翔说："你真是手巧，有创意，还特别懂事。"回家后，翔翔高兴地把这句话告诉了我。我也及时肯定和鼓励了他。就是老师这样一句鼓励的话，激发了翔翔浓厚的兴趣。每天放学后，他都急忙赶到科学教室，全身心投入地制作科技作品。他越努力，老师给予的表扬就越多，这也进一步激发了他无穷的内生动力。最后，在比赛中他们这个小团体取得了第一名的好成绩。

现在回想起来，别的同学都回家了，还愿意放学后饿着肚子留在科学教室做模型，付出比其他参赛同学更多的努力，回家后再忙着写作业，这对于一个十岁的孩子来说并不是一件容易的事情。他的内生动力就来自老师充分的肯定和鼓励，正是老师的鼓励让他在这项活动中找到了成就感，从而实现了自我价值。

有一句著名的话："从成功走向成功。"内生动力对于正值贪玩年龄段的孩子来说就像一株幼苗，非常脆弱。如果家长总是冷言冷语，这株幼苗很快就会枯萎。只有用鼓励和肯定来浇灌，幼苗才能茁壮成长。对于家长，要有一双善于发现孩子闪光点的眼睛，孩子付出一些努力，取得一点儿进步后，家长一个肯定的眼神，几句鼓励的话语，都会让孩子愿意付出更多的努力去做得更好，从小的成功一步步走向更大的成功。

关注对孩子学习方法的指导，提升孩子的学习能力

孩子的学习牵动着家长的心，所有的父母都希望自己孩子的学业能够进步得快一些。要想提升孩子的学习成绩，功夫应该更多地下在帮助孩子提升学习能力上。

从小学三年级开始，表妹在每学期开学前，都让涵涵给自己定好本学期的学习目标。合适的目标，是孩子努力的方向，可以激励孩子自主挖掘自身的潜能，努力学习。在平时写作业时，如果涵涵遇到不会的题，表妹都会鼓励她先主动积极地思考，实在不会再向家长请教；期末复习前，表妹又会引导涵涵提前制订好复习计划，每天按照计划一项项进行自主复习……表妹并不是不监管，每当孩子学习上松懈时，表妹都会及时给予提醒。在表妹的引导下，涵涵对自己的学习很负责任，每一分成绩的提高都是孩子自己付出努力取得的。涵涵在积极主动的学习过程中，摸索出了一些学习方法，学习能力得到了锻炼。

家长要注重对孩子学习方法的指导，给予孩子自主探索的空间。让孩子在自主摸索中，总结成功的经验和失败的教训，学会

绕过学习中曾经摔过的各种“沟坎”。在自主学习的过程中，每个孩子的基础不同，学习能力不同，家长要根据孩子自身的情况给予相应的指导。对学习能力和自觉性强的孩子多放手，对学习能力弱、自律性差的孩子多一些辅助。作为家长，我们要为他们付出的努力和能力的提升鼓掌加油，让孩子看到自己的进步，有学习的成就感。

让孩子为自己的学习负责任

银川中学校长黄建明在开学典礼上说过：“同学们，请你们记住，学习是你们自己的事情。一不是父母的事情，他们只是你们的衣食父母和人生导师；二不是老师的事情，他们只是你们的第二任老师，和你知识的传播者以及阶段时间内人生路上的引领者。若你的学习是在父母逼、老师压的状态下进行的，我劝你可以另寻出路，因为你不是自觉自愿在做，那又何必做自己不喜欢的事呢？”黄校长的话语重心长，告诉学生学习是自己的事情，父母和老师只能起到协助和支持的作用。

我母亲所住的一个老旧小区里有一对中年夫妇，他们的女儿小芳给我留下了深刻的印象。这对中年夫妇通过看大门、看护小区的车棚、捡拾废品、给小区里的住户刷洗抽油烟机等工作获得收入，可以说他们的生活是比较拮据的。他们对女儿小芳的学习并没有太多的管教，但小芳学习努力，在上小学和初中时成绩一直都很好。初中毕业后，由于户口问题，小芳回老家上高中了，只能在寒暑假回到父母的身边。虽然父母不在身边，但小芳学习依然非常勤奋。前几天听母亲说，小芳以优异的成绩考上了一所重点大学。

小芳之所以能够在父母不监管的情况下仍努力学习，是因为她知道要为自己的学习负责任，要通过自己的努力改变自己和家人的生活状态。我们身边大部分学习不够努力的孩子没有认识到学习的意义，没有为自己的学习负责任的意识。孩子由于年龄小，难免会逃避繁重的学业负担，但父母应该让孩子早一些认识到学习是他们自己该负的责任，不要等到错过了适合学习的年华，再去花更多的力气去追回。

在孩子的漫漫求学路上，父母应该做的是激发出孩子自主学习的潜能，把他们的热情调动起来，让他们自己干劲十足地学。同时，父母要给自己做好辅助定位：在教育中，多一点儿赞扬，少一点儿指责；多一点儿放手，少一点儿包办；多一点儿对方法的引导，少一点儿对结果的关注。让孩子通过自身的努力和摸索，在点滴的进步中，感受到学习的快乐和价值，获得成就感，实现自我成长。

培养良好的听讲习惯

听讲是学习最主要的途径，会听讲既是一种好的学习习惯，更是一种学习能力的体现。

听讲是孩子获取知识的主要途径，孩子成绩的高低很大程度上取决于他听讲的质量。会听讲的孩子，思路能紧跟老师，眼睛中闪烁着求知的光芒。而不会听讲的孩子则目光游离，注意力容易被各种与学习无关的事物所吸引。面对孩子不良的听讲习惯，家长们都非常着急，但是简单粗暴的批评指责，只能收到短时效果，还容易让孩子产生逆反情绪。只有找到孩子听讲问题的原因，有针对性地进行引导，才能从根本上解决问题，取得较好的长期效果。

分析原因，寻找对策

类型一：没有掌握听讲的方法。

刚入学的一年级小学生，没有掌握听讲的方法，再加上注意力集中时间短，自控能力比较弱，课上常出现玩东西或者走神的现象。如果在此时不及时加以引导，就会使得孩子养成听讲不专心的坏习惯。那怎样让孩子从一开始就养成良好的听讲习惯呢？

在孩子入学前后，家长要用孩子能够理解的语言告诉他们课堂是学习的主阵地，而认真听讲是学习中最重要的环节，让孩子明白认真听讲的意义，有积极听讲的愿望。同时，家长要教给孩子一些听讲的方法：会看、会想、会听、会说。“眼睛随着声音走”，老师讲课看着老师，同学发言要看着同学，要一边听一边思考，积极与同学和老师进行课堂内容方面的互动。光有方法上的指导还是不够的，如果能在家里模拟小课堂来进行演练就更好了，孩子当学生，家长当老师，或者孩子当老师，家长当学生，在模拟中逐步掌握课堂听讲的方法。家长当学生时还可以有意走神或者玩东西，结果“小老师”讲的东西都没学会，让“小老师”针对这种情况来管理。通过角色互换，让孩子切身感受到听讲的重要性，掌握听讲的方法。

类型二：花哨的东西太多，分散孩子的注意力。

自制力比较弱的孩子在听讲的时候，总忍不住手里玩点儿东西，学习用具总会随时变成他们手里的小玩具。因而，家长尽量不要给他们买那些花哨的学具，因为孩子一般对鲜艳、新奇的东西都特别感兴趣，如造型奇异、五颜六色的橡皮、尺子，多功能的铅笔盒等，这些学具会分散孩子学习时的注意力。家长要给孩子买那些简朴的学具，从而减少不必要的干扰，让孩子把注意力更好地集中在课堂的学习中。

有的家长为了帮助孩子改掉上课玩学具的坏习惯，让孩子在一张小卡片上写上“专心听讲”这几个字，把它贴在铅笔盒上。每当孩子低头想要玩学具时，看到铅笔盒上的字，就能马上提醒自己，重新把注意力回归到课堂上。这张小卡片就如同一个小小监督员，随时提醒孩子要专心听讲，这也是一个不错的方法。

类型三：认为有些知识课外学习过了，课堂上就不用听了。

心理学上有一个定律，叫“不值得定律”，意思是不值得做的事情，就不值得做好。“不值得定律”反映出人的一种心理：如果从事的是一件自认为不值得做的事情，往往会抱着应付了事的态度。有些孩子因为在课外提前学习了一些知识，当课堂上再学到这个内容时，就认为老师讲解得太浅显，这些他们都会，不用再听了，于是采取了敷衍的态度。由于孩子年龄小，所以他们并没有意识到，虽然课外已经学习了这个知识点，但学得又快又浅，自己其实掌握得并不扎实。

面对这种听讲问题，家长要告诉孩子，在学校学习的知识更加系统，课外学习只是对学校学习的补充和延伸，不能因为课外接触了这个知识就骄傲自满，不认真对待课内学习了。要引导孩子戒骄戒躁，保证课上的听讲质量。

类型四：课堂上老师讲解的内容听不懂。

有的孩子底子薄，知识漏洞太多，所以在课堂上听不懂老师讲的知识。对于一个孩子来说，听不懂就容易开小差，导致后面的也听不懂，从而陷入恶性循环。这些孩子需要的不是讲大道理，而是耐心指导，需要家长或老师帮他们把知识漏洞一点点补上，这样成绩才会有所提升，同时为后面进一步的学习奠定基础。

除了弥补知识漏洞，还要注重学习方法上的指导。一次，我去给翔翔开家长会，在会后的沟通中，一位老教师对家长们说："对于学习有一定困难的学生，更需要家长对他们的学习方法给予指导，孩子掌握了适合他的学习方法，学习能力自然就会提升。"好的方法对于孩子的学习来说至关重要，但学习能力弱的孩子常常没有方法，或者所用的方法并不适合自己。因而，家长可以对孩子的学习方法给予适当指导，或者鼓励孩子摸索适合自己的方法，让好方法促进孩子学习能力的提升。

孩子成绩不理想，难免会产生自信不足、学习被动等现象。因而，家长或老师在给孩子补漏洞的同时，还要调动他们学习的积极性，有“我要学习，我能学好”的信心，才是孩子后续学习不竭的动力。

类型五：注意力集中时间短或者多动。

一个偶然的机会，我认识了一个有点儿特殊的小男孩，他叫梓涛。梓涛非常爱动，而且明显注意力集中时间很短，嘴里总是不停哼哼，手脚也控制不住地乱动。我和他的妈妈聊起孩子，梓涛妈妈说孩子从小就这样，非常淘气。

过了一段时间，我和这对母子又相遇了，这一次梓涛多动的问题好了很多。在交谈中，我得知老师建议梓涛妈妈先带孩子到医院做相关的检查，根据医生的建议，再加强家校配合。检查后，医生说孩子患有多动症，建议家长每周带孩子到机构做训练，并且每天抽出一些时间，以游戏的形式带孩子在家做协调性和注意力的训练，医生还教给了梓涛妈妈一些训练的方式。听了医生的建议后，梓涛妈妈每天带梓涛做训练，因为训练的形式很有趣，在梓涛看来就是在和妈妈一起做游戏。同时，老师也更加关注梓涛听讲的质量，并充分肯定他的努力和进步。一段时间后，能很明显地看到梓涛多动的情况得到改善，听讲质量也随之提升。看到孩子的进步，梓涛妈妈还特意到学校感谢老师对孩子的帮助。

梓涛妈妈对我说：“以前，我总不愿意面对孩子多动的问题，总觉得等孩子长大一些自然就会好的。多亏了老师的提醒，才能及时就医，没有错过治疗的最佳时机。现在我们每天在家里根据医生的指导做训练，同时进一步加强了家校配合，看到孩子的进步我才真正感到了踏实和欣慰。”

如果家长看到自己的孩子在某方面和其他小朋友比较起来有明显差异，就应该及时带孩子去医院做检查。如果没有问题，那么就加快良好习惯的养成。如果有问题，那就要通过系统的医学治疗和训练帮助孩子尽快改善，而不要因为盲目地认为孩子还小，长大了自然就会好的，而错过医学训练的关键期。

巧用表格评价，帮助孩子养成良好的听讲习惯

有的孩子已经养成了不良的听讲习惯，在家长和老师的帮助下刚有一点儿起色，但是因为年龄小，自控能力差，所以常常坚持不了多长时间，老毛病就又犯了。面对孩子的这种情况，很多家长非常头疼。已经养成的坏习惯光靠表扬和督促来改很难看到效果，家长可以尝试通过填写“听讲评价表”来提升孩子的自我约束力，培养良好的听讲习惯。家长可以和孩子一起制定评价表的具体内容，每天先由孩子自评，再由老师确认。孩子为了给自己一个好的评价，听讲的自主性也会随之提升。当孩子逐步养成了良好的听讲习惯后，表格的任务就完成了，可以撤销了。

<table>
<tr><th colspan="6">课堂表现及专注力评价表</th></tr>
<tr><td colspan="2">项目</td><td>自觉遵守纪律</td><td>专心认真听讲</td><td>回答问题次数</td><td>备注
（家长签字）</td></tr>
<tr><td rowspan="2">星期一</td><td>自我评价</td><td></td><td></td><td></td><td></td></tr>
<tr><td>老师确认</td><td colspan="3"></td><td></td></tr>
<tr><td rowspan="2">星期二</td><td>自我评价</td><td></td><td></td><td></td><td></td></tr>
<tr><td>老师确认</td><td colspan="3"></td><td></td></tr>
<tr><td>……</td><td></td><td colspan="3"></td><td></td></tr>
</table>

课堂是学生学习的主阵地，如果丢失了这块主阵地，那么课下花双倍的力气也是补不回来的。孩子表面上都是上课开小差，其实背后的原因却不尽相同。面对问题，家长还是要认真分析，找准原因，对症解决，才会收到事半功倍的效果。

培养认真写作业的好习惯

写好作业是学生学好知识的重要一环，但很多家长一说起给孩子辅导作业就苦不堪言，良好的写作业习惯要从孩子一入学就开始培养。面对孩子写作业中的各种问题，家长不能急躁，要有方法、有策略地加以引导。

英国哲学家艾蒙斯说过：“习惯要不是最好的仆人，便是最坏的主人。”

我们在生活中常看到，习惯好的孩子写作业的时候踏实认真，书写工整，抓紧时间，正确率还很高，写完后还有时间来做自己喜欢的事情，发展兴趣爱好。而写作业习惯不好的孩子则边写边玩，写写停停，非常松散，作业质量不高。孩子不认真写作业的坏习惯一旦养成，改起来会非常困难。因而，从孩子一入学，家长就要注重培养他们良好的写作业习惯。

营造良好环境，明确写好作业的意义

孩子入学前，家长要为孩子营造一个安静而且有学习氛围的环境。要让孩子远离电视，就需要给孩子固定的学习桌椅，与学习无关的摆设一律撤除，各种小画片、小玩具都不要放在书桌上，以免人为地分散孩子注意力。还可以在墙上开辟一个专栏，贴上孩子的各种奖状或精品作业，增强孩子的荣誉感和上进心。

家长要用孩子能理解的方式告诉他们认真写好作业的重要性，鼓励孩子在写作业的时候努力做到专心致志，保证作业质量，让孩子有对自己学习负责的意识。

写好作业“四步曲”

翔翔上小学一年级后不久，学校特意请部分六年级的哥哥姐姐来给他们做学习方面的经验介绍。其中一位哥哥介绍的写作业“四步曲”给翔翔留下了深刻的影响。

第一步，做好准备工作。孩子放学回到家里，可以先适当休息一下，洗洗手，擦擦汗，吃点儿水果，喝点儿水，上好厕所，同时暗示自己该做的准备都做好了，写作业的时候就要全身心地投入，不被其他事情所干扰。

第二步，简单回顾所学知识。在正式写作业前，可以看看书上的例题、自己所记的笔记，想想老师的授课过程，简单回顾一下所学知识，梳理一下重难点，这样有助于提升作业的质量。

第三步，认真写好作业。在这个环节家长要给孩子提出明确的要求：注意力集中，全身心投入，认真审题，积极思考，书写干净整齐。可以写完一科后休息一会儿，但在写的过程中不做与写作业无关的事情。孩子写作业时，父母也要做到不送吃喝、不问来问去，给孩子营造安静的学习环境，以免打扰其思路。

第四步，写完作业后，自己检查。在讲解这一环节时，这位哥哥还讲述了一小段自己的经历。刚开始，他的作业都是他妈妈检查，妈妈看到他作业中的各种错题很生气，总是对他发脾气。后来因为妈妈调换了工作，需要经常出差，他的学习就由爸爸来接管。爸爸鼓励他写完作业后自己检查，检查完后再拿给爸爸看一下。如果这时还有错题，爸爸就让他缩小范围再检查一下，争取自己把错题找出来。通过一段时间的自查作业，这位哥哥在写作业的过程中会特别留意经常出错的步骤，如审题、抄数、计算等，写作业比以前认真多了，因而作业的质量明显有所提升，学习的信心也增强了。

翔翔听了这位高年级哥哥讲解的写作业方法后，决心向他学习，每天按照“四步曲”来写作业。在翔翔写作业时，我尽量减少打扰，给孩子一个静心思考的环境。鼓励他自己写、自己查，最后我再整体地看一看。

通过写作业“四步曲”，可以帮助孩子养成良好的写作业习惯，积累经验方法，从而提升写好作业的能力。让孩子做自己作业的主人，对自己的作业负责。

孩子刚入学时，家长可以适当陪伴孩子写作业

良好的写作业习惯要从孩子一入学起就开始培养，正所谓“好的开始是成功的一半”。但在不同阶段，对孩子的要求也不同。刚刚迈入校门的孩子还没有适应小学生活，外加识字量比较少，独自写作业有一定的困难，因此要完成写作业的“四步曲”需要一个慢慢适应的过程。对于刚入学的孩子，家长可以通过适当陪伴，帮助孩子熟悉“四步曲”，逐步养成踏实写作业的好习惯。

虽然有家长陪伴，但也一定要让孩子意识到学习是自己的事情，不能错误地认为作业是为家长做的。家长陪伴的目的是让孩子养成良好的写作业习惯，当孩子的好习惯初步养成后，家长这根小拐棍就要慢慢撤离，不要让孩子产生依赖心理。

家长巧用“四个变”，帮助孩子改掉写作业中的坏习惯

有些孩子已经养成了不良的写作业习惯：磨蹭、书写乱、不认真……其实，孩子的问题能够折射出家长在教育上的一些误区。因而，家长要先改变一下自己的教育观念，在指导方法上做出一些调整，这样孩子自然就会随之进步。

变“包办”为“自理”。

堂兄的儿子明昱没有养成良好的学习和生活习惯：作业书写潦草、错题多，而且每天拖拖拉拉要写到很晚。孩子的房间也特别乱，玩具、书本到处堆放。堂兄堂嫂每天晚上又是给孩子检查作业，又是帮他整理房间和书包，整日忙得直不起腰。一次，堂嫂聊起孩子的事情，发愁地问我，随着孩子年龄的增长，是不是很多问题自然就改善了。堂嫂的这种“树大自然直”的想法很多父母都有。我告诉堂嫂，孩子的习惯和能力需要从小培养，父母要减少过度包办，给他们自理和锻炼的空间。后来，在堂兄堂嫂共同的耐心引导下，明昱学习和生活的自理能力都有了长足的进步。

让孩子逐渐学会自理的同时，还要为他们设定标准，培养他们做事的条理性。一个做事有条理、思维严谨的孩子，能把自己的生活和学习安排得井然有序，否则无论是生活还是学习都会比较混乱。

如果孩子做事的条理性和思维严谨性都比较差，家长就要和孩子进行沟通，给孩子提要求，提醒孩子做事的过程中要细心仔细一些，做完后还要自己检查。当孩子有进步时，家长要给予肯定鼓励；当孩子做得不够好时，父母也不必过度指责，更不要包办代替，而是要温和而坚定地让孩子重新做一遍。

标准不能随便降低。在不断的自理中，标准会渐渐根植于孩子的思想意识里，一点点成为他们内心的“尺子”，逐步提升他们做事的条理性和严谨性。

变“唠叨”为“奖励”。

跃跃刚入学时，也有写作业磨磨蹭蹭的坏习惯，跃爸急得又是催促，又是数落，每当跃爸唠叨的时候，跃跃就不耐烦地捂着耳朵。看到孩子被动的样子，跃爸想到了一个变批评为奖励的好办法。跃爸和儿子约定：只要能在晚饭前写完作业，吃饭时全家可以一起看电视，但是一定要保证作业质量。因为跃跃平时写作业特别磨蹭，家里很少开电视，所以跃跃对这个奖励特别感兴趣，每天在学校的自习时间抓紧时间写作业。跃爸每天下班回家后，总是先问问跃跃作业完成的情况。如果剩得很少，跃爸就等他快写完了再做晚饭，晚饭时全家一起看电视。如果还差得比较多，那就不等了，晚饭时就不开电视了。有了这个约定，跃跃逐渐改掉了拖拉的坏习惯，写作业时更加专注了，做作业的效率和质量明显提高了。

家长没完没了的唠叨只会让孩子心生厌烦，在数落孩子的时候自己也容易不自觉地火冒三丈，这样的情绪会影响孩子对学习的态度。因而，家长可以变唠叨为奖励，针对孩子写作业过程中的问题，提出只要有所改善，就可以得到适当的奖励，这样孩子的积极性就会得到提升。当孩子的这个问题得到改善后，再提出新的奖励条件，每次只提一个，让孩子“跳一跳够得着”，适当努力就能满足条件，以此来帮助孩子逐步养成良好的写作业习惯。

变“撕掉作业”为“贴出优秀作业”。

小崔妈妈曾跟我分享过一个她引导孩子写好作业的好方法。小崔以前写作业时书写比较乱，看到孩子潦草的作业，她总是冲小崔发脾气，并且把作业撕了，让孩子重新写。小崔每次都是哭闹半天，极其不情愿。看到孩子这样，小崔妈妈特别苦恼。

后来，在一位朋友的建议下，小崔妈妈转变了观念，调整了方法，变“撕掉作业”为“贴出优秀作业”。小崔妈妈让小崔挑选一份书写漂亮的优秀作业，复印后把它贴在孩子的书桌前。每天小崔在写作业时，一抬头就看到自己的这份优秀作业，觉得很有成就感，就以它为标准，时刻鞭策自己把作业写好。过了一段时间，小崔主动挑出一份新的优秀作业，让妈妈复印后贴在了原来那份作业的旁边，并对妈妈说：“您看，这份作业是不是比那份还好。”

就这样，每隔一段时间，小崔就在自己的作业墙上加一份优秀作业。在一份份优秀作业的“引导”下，小崔写作业的态度越来越认真，作业的质量也越来越好。

变“撕了书写不好的作业”为“贴出优秀作业”，这个小小转变的背后是家长观念的转变。“撕了书写不好的作业”是对孩子学习成果的不认可，时间久了，会让孩子对写作业有抵触情绪。而“贴出优秀作业”则是对孩子学习的肯定，是正面鼓励，激发了孩子的成就感，提升了孩子写好作业的动力。同时，一份份优秀作业也会像一个个小模板一样，时刻提醒孩子要以它们为参照，提升作业质量。不断精选优秀作业的过程同样调动了孩子的内生动力，提升了写好作业的信心。

变“讲解练习”为“鼓励思考”。

很多家长对孩子的学习抓得非常紧，针对平时作业中的错题给孩子反复讲解，在考试前又结合所有的错题给孩子温习一遍。但不知为什么，有些孩子在考试时还犯平时做作业犯过的错，平时反复讲过的题变换个形式就又不会做了。原因有很多，但最主要的原因是家长在辅导时过度“填鸭”，导致孩子缺乏独立思考的过程，知识没有真正内化。

因而，当孩子遇到不会的题时，家长不要马上给予讲解，而是先让孩子独自思考，思考后还不会就先空着，等写完作业后把不会的题拿给家长看。家长可以先筛选一下，对于不太难的题，让孩子再次读题，认真分析，尝试自己独立解决。对于有一定难度的题，家长给孩子点拨一下思路，再让孩子继续思考。孩子因为在前面写作业的过程中已经有了一定的思考，所以只要家长适当点拨，常常就会豁然开朗，顺利解答。每当孩子完成这些有难度的题后，家长还要让孩子给自己讲讲解题思路，看看是否清晰，或者总结一下做同类型题的方法。另外，当孩子解答完有一定难度的题目后，家长一定要及时给予肯定，让孩子有继续挑战的自信。

家长变讲解为鼓励孩子独立思考，有助于培养孩子克服依赖心理、静心思考、不轻易放弃的良好思维品质。

一位高考状元的妈妈在谈到教育孩子的经验时，这样说道："一定要在孩子没有自主思考能力的时候，督促他养成好习惯。这个过程很痛苦，你得时时刻刻监督着他、留意着他。等他养成好习惯之后，后面的路自然就好走了。"由此可见，孩子良好习惯的养成需要父母的用心培养。孩子养成了良好的写作业习惯，会在学习中不断享受它带来的红利；而一旦养成坏习惯，就要偿还无尽的"债务"。

小马虎背后的“秘密”

很多孩子和家长都爱把错题原因归为“马虎”，真的都是“马虎”造成的吗？还真不一定，别让“马虎”这个借口掩盖了错题背后的真正原因。

我们在生活中常常看到这样的一幕：爸爸下班回家，听说儿子的成绩又不太好，非常恼火，严厉地问道：“你为什么又错这么多题？”儿子被爸爸吓得怯生生的，低声答道：“马虎。”爸爸无奈地说：“又是马虎这个老毛病，你真是个粗心大王。”

孩子的错题真的都是“马虎”造成的吗？这个问题，还真需要好好思考分析一下。

引导孩子养成良好的答题习惯

学校发完考试卷子，有时就会听翔翔说道：“唉，这几分扣得太可惜了，要是能捡回来就更好了。”“加上这些不该丢的分，这次就能得优了。”……从孩子的这些话中，我能够感受到他对考试中的各种失误扣分特别遗憾。确实，对孩子来说，因为不会做而被扣分不可惜，但如果因为各种不好的答题习惯而失分，确实非常令人惋惜。要想减少考试中各种不必要的失误，就要注重培养孩子良好的答题习惯。

首先，要养成认真审题的好习惯。涵涵以前的各种错误都是审题不认真造成的，表妹一直非常苦恼。孩子上二年级后，班里换了一位数学老师，新老师非常注重通过圈画重点词来培养学生的审题能力，在老师的指导下涵涵养成了边读题边圈画重点词的好习惯。从此以后，涵涵在考试中因审题不认真而失误的次数明显减少了。看到孩子的进步，表妹特别高兴，她特意给老师发了一段文字，表示感谢。

老师好，涵涵最近数学学习基本养成圈画关键词和自己认真检查的习惯，这个习惯也促进了其他科目学习，这得益于您日常的严格要求和悉心教导❤️ ❤️

我们会继续努力，您辛苦了🌹 🌹 🌹

很多孩子思维很灵活，对学习也抱有热情，但阅读能力不强，在读题时常出现添字、丢字等情况，因而对题目的理解不全面或者不正确。

例如这两道题：

数学题目：用两颗小珠子在计数器上可以摆出哪些两位数。
学生1的回答是2、11、20。
学生2的回答是10、11、12、13……99。

语文题目：请你从外貌和语言两个角度来说说老村长是个怎样的人。
学生的回答是老村长是一位衣着朴素的人。

对于第一道题，有的学生是没有注意到题目中的“两位数”，“2”不是两位数。有的学生是没有注意到是用两颗小珠子来摆数。

对于第二道题，这位同学只从“外貌”这一个角度进行了描述。

数学题：用两颗 小珠子在计数器上可以摆出哪些两位数。

语文题：请你从外貌和语言两个角度来说说老村长是个怎样的人。

要想提高孩子的审题能力，就要引导他坚持认真读题，通过圈画重点词，在长长的一段文字中找到答题要点，使得答题时思路清晰、考虑全面。圈画重点词的好习惯一旦养成，会帮助孩子在做作业和考试中减少不必要的失误。

其次，要养成“一步一回头”的答题习惯。有一年，我去给翔翔开家长会，一位成绩优异的学生在会上向家长们介绍自己的学习方法。她说道：“老师让我谈谈数学成绩好的原因，其实也没有什么特别的，就是妈妈要求我做题要稳，答题过程中要随时回头看看。”一个“稳”字，道出了考生答题时的心态：克服毛躁，踏实仔细。“随时回头看看”，就是老师们常说的“一步一回头”：列好横式后，回头看看数抄得对不对；笔算完了，回头看看每一步的过程是否完整清晰；问题解答完后，看看数量关系是否正确，单位名称是不是写上了。“稳”和“一步一回头”体现了一种严谨认真的答题态度。

最后，培养孩子养成写好草稿的习惯。很多同学在解答数学题时，常常会因为计算不准确而丢分，如果翻看这些学生的草稿纸，会看到其中有很多份书写混乱，有的同学甚至都没有草稿纸。因为没有养成良好的演算习惯，计算错误在所难免。很多有经验的教师，都非常重视学生草稿纸的使用。有的教师要求学生在卷子背面写草稿，有的教师考试时统一发草稿纸，还有的老师要求学生把草稿就写在原题的旁边……无论是哪种方式，其目的都是让学生在答题时能够认真写好草稿，减少不必要的失误。考试结束后学生还能根据草稿分析错题原因，积累答题经验，在今后的考试中减少同类错误的发生。

把知识漏洞及时补上

孩子的错题有一些是答题习惯不好造成的，但也有一些确实是不会解答，这些不会的题目反映出孩子某一部分知识掌握得不够扎实。如果孩子已经具备了一定的学习能力，那就鼓励他针对这一部分内容重新梳理概念，分析失误原因，自己把漏洞补上。如果孩子还比较小，不具备梳理的能力，家长或者老师就要再给孩子讲一讲。孩子把这个知识点掌握后，可以就这部分内容有针对性地进行专项训练，举一反三，内化知识。

不让外号惹事端

“又是马虎这个老毛病，你真是个粗心大王。”这是前面那个爸爸回复孩子的话，这相当于给孩子贴了一个“马虎”的负标签，让孩子认为粗心马虎是自己的常态，写作业、考试不认真就是自己的特点。孩子一旦有了这个想法，从答题的态度上就变得不认真，这种态度比知识掌握得不够扎实更难纠正。因而，家长要多给孩子积极正面的鼓励，千万不要随便给孩子起外号、贴标签，不对孩子进行负强化。

有一位小男孩曾半开玩笑地对我说："我妈妈说，谁给我辅导功课，谁就会气出心脏病。"我身边的一些朋友也曾感慨道："每当给孩子辅导功课时，都得默念是亲生的，亲生的……"很多家长看到孩子的作业和考试中的各种错题就忍不住发火，使得孩子对学习产生抵触心理。面对孩子的各种错题，家长不能火冒三丈，用"粗心马虎"来一概而论，而应该冷静地分析孩子的失误原因，有针对性地加以引导：培养孩子细心严谨的答题习惯，或者帮助孩子把知识漏洞一一补上，在考试中少一分遗憾，多一分自信。

授之以鱼，不如授之以渔

著名语言学家吕叔湘先生说过：“教学，教学，就是教学生学，主要不是把现成的知识教给学生，而是把学习方法教给学生，学生可以受用一辈子。”足可见，掌握良好的学习方法，可以让孩子受用终身。

如果把知识比作海洋中的鱼儿，学习方法就应该是“捕鱼的各种技能”，孩子一旦掌握了学习的方法，成绩的提升就指日可待了。因而，在教育孩子的过程中，家长更多的应该是“授之以渔”，而不是“授之以鱼”。

重在教方法

嘉嘉和小惠分别是我两位同事的孩子，两个孩子年龄相仿，嘉嘉是个男孩，小惠是个女孩。他们俩没有什么学前基础，入学后两位同事都非常注重对孩子学习方法的指导。

嘉嘉热情开朗，因为学前零基础，刚入学时学习有点儿吃力，但嘉嘉听讲特别专心，课上还能举手提出自己不明白的问题，而他所提的问题常常是本节课知识的核心或延伸。因为嘉嘉妈妈深知课堂认真听讲是保证学习质量最重要的一环，所以从孩子学前开始，她就非常注重激发儿子的学习兴趣，鼓励他积极思考，及时提出不懂的问题。而且她每次与老师沟通孩子的学习情况，都会问问孩子听讲的情况。由于嘉嘉听讲质量高，学习兴趣浓，很快他就成为一匹黑马，超越了同龄的孩子。

小惠很文静，学习特别踏实认真。一天放学后，我看到小惠正趴在她妈妈的办公桌上复习语文生字词，不禁对小惠妈妈说道："孩子刚上一年级就能自己复习字词了，真棒。"小惠妈妈答道："我也没时间给她听写，就让她自己复习，熟的字自己再看看，不熟的字用手在旁边的空白处写一写，每天看两个单元。"我听后，惊讶于孩子年龄这么小，家长就开始教给她复习的方法了。过了一段时间，学校进行百词测验，小惠取得了满分的好成绩。

虽然嘉嘉和小惠都是刚刚入学，但两位妈妈已经开始培养孩子掌握基本的学习方法了。因为她们知道，孩子只要掌握了学习方法，学习能力就会逐步提升，慢慢进入学习的快行道。

表妹的女儿涵涵刚升入初中时，表妹送给她一个精美的笔记本，鼓励她随时把学习的重难点记录在本上，复习前拿出本来看一看。听了妈妈的建议，涵涵用心完善着自己的"学习宝典"，一学完新知识，就及时记录、整理。涵涵开始只是抄抄公式和定义，利用点滴时间来背记。后来，涵涵把一些答题要点和变形题目也一一记录在相应的知识点旁。涵涵通过梳理“学习宝典”，掌握了复习整理的方法，知识学习得非常扎实，成绩稳定在班里前列。

在孩子学习的不同阶段，家长要有针对性地对孩子的学习方法给予指导。“教是为了不教”，慢慢地，孩子就能总结出适合自己的学习方法，脱离家长的这根“拐杖”，靠自己的能力学习更多、更难的知识。

给孩子锻炼提升的空间

堂弟的儿子阿亮在小学三年级第一学期的语文期末考试时没写作文，成绩可想而知，非常不理想。妈妈在得知儿子没写语文作文后，非常生气。但她冷静下来，细细回想自己指导孩子写作文的过程，认识到自己的教育方法也存在问题。妈妈平时对阿亮的学习抓得还是挺严的，尤其是作文，都是她一句句指导儿子来写，写完后，她再反复修改，直到满意为止。可能就是因为她包办代替得太多了，孩子独立写作文的能力很差。

有了这次的经验教训，妈妈对阿亮的学习指导做了适当的调整，给予孩子更大的自主学习空间。第二学期开学后不久，老师把作文题目布置下来后，妈妈没有给予指导，而是鼓励阿亮自己写，正如妈妈所料，阿亮费了很大力气写出来的作文得了一个“良”。周末的作业是修改作文，阿亮看着自己的作文一筹莫展，于是向妈妈求助，妈妈并没有直接帮助儿子进行修改，而是对他说：“想想老师课上是怎样指导的，你好好回忆回忆。”阿亮看妈妈没有帮助自己的意思，只好自己研究起来。一个小时过后，妈妈问：“怎么样，有思路了吗？”阿亮答道：“我仔细看了看老师发的范文，结合老师在课上的讲解，我发现这几篇范文对于人物的描写特别具体、细致，在这方面我写得不够好。”妈妈微笑着点点头。接着，阿亮没有花费多长的时间就改好了自己的作文。

对于阿亮不知道怎样改作文，妈妈并没有马上进行指导，而是让阿亮先自己研究。阿亮把范文和老师课上的讲解结合起来分析，找到了自己作文成绩不理想的原因，在学习和修改的过程中，写作能力也得到了提升。很多家长因溺爱孩子，对孩子的学习包办代替得太多，使孩子一遇到困难就有求助的心理，家长的耐心指导使得孩子失去主动思考问题的意识。在孩子遇到困难后，家长要给他们一个独立思考、寻求改进策略的空间。孩子第一次摸索的过程，一般都比较漫长和痛苦，但是一旦找到了解决的方法，学习能力就会得到提升。孩子首次成功自主解决了问题，也为今后自主解决问题奠定了信心。

鼓励孩子不断改进方法

记得我当年上初三时，同学们都很努力学习，希望给自己拼得一个好未来。但要说起我们班最努力的，那还是要数小柯了。课间，当别人在休息时，小柯忙着刷题；午饭后，当同学们闲聊时，小柯常在翻阅复习资料；晚上，别的同学进入了梦乡，小柯还在灯下学习。小柯如此努力，出人意料的是成绩却始终徘徊在班里中下游。究其原因，是小柯的学习方法出了问题。小柯是刷了很多题，但每次都写得特别快，做题质量并不高，不是计算错，就是审题不认真。小柯是把书和资料看了很多遍，但是各科的重要知识点背得并不仔细，真到用的时候常常觉得模棱两可，不能准确提取。面对自己的错题，小柯也不善于梳理，对错题并没有真正搞明白，再遇到类似的题还是不会做。老师们针对小柯的学习方式给他提出了一些改进的建议，小柯调整了学习方法，成绩有所提升。

生活中类似小柯这样的学生很多，功夫没少下，但是成绩平平，主要原因是学习方法不对。在学习时，既要多翻看复习资料，更要精准把握知识要点；既要刷题，更要学会梳理错题；既要自己努力，更要看看别人是怎样学习的。只有方法正确了，功夫才能下到“刀刃”上，发挥出积极的作用。

联合国教科文组织的保罗·朗格朗曾提道：“未来的文盲，不再是不识字的人，而是没有学会怎样学习的人。”因而，家长在指导孩子学习的过程中，更多的应该是“授渔”，而不是“授鱼”。通过“授渔”，鼓励孩子自己来“捕鱼”。对于年龄小的孩子，家长应该更多关注孩子掌握学习方法、应用学习方法的过程；而对于年龄大一些的孩子，家长则可以鼓励他们自己摸索和总结方法，在实践中不断改进方法。

第四章

引导孩子做个能干的小达人

——培养锻炼孩子的能力

今日家庭的安逸，难遮蔽孩子明日迈入社会后所要经历的风雨艰辛，能力才是一个人可持续发展的不竭源泉。孩子的能力不会自然产生，家长要着眼于未来，行动于现在，在教方法的基础上，为孩子提供锻炼的空间。孩子只有拥有了能力这对“翅膀”，才会在今后人生的广袤天空中越飞越高。

有伙伴会更快乐
——提升孩子的交往能力

卡耐基曾说："每一个人的成功，15%靠的是他的专业技术，而85%要靠他人格的力量以及处理人际关系的能力。"家长要重视培养孩子与人交往的能力，从而让孩子更好地适应未来合作、双赢的发展需求。

人类具有一定的社会性，无法离群索居，每个人都要从他人那里获得信息，与他人沟通合作来完成任务。据调查，很多少年儿童都存在人际关系方面的问题。其实，每一个交往能力弱的孩子内心都很苦闷，渴望与同龄伙伴快乐交往，感受友谊的温暖。千里之行始于足下，孩子与人交往的能力要从小开始培养。

营造和谐的家庭氛围，父母做孩子交往的榜样

人们常说："每一个问题儿童的背后都有一个问题家庭。"

在幸福和睦的家庭中成长的孩子大多阳光，交往能力也很好。相反，如果家庭关系比较紧张，父母整日争吵，就会让孩子感到恐慌不安，并且学到一些负面的交往方式。因而，家长要营造平等、和谐、相互尊重的家庭氛围，这对孩子良好性格的养成和交往能力的提升都有积极的意义。

美国心理学家阿尔伯特·班杜拉说过："儿童的很多行为都是通过观察、模仿别人的做法学到的，家长是孩子社交的第一责任人，在潜移默化中影响着孩子的为人处世。"父母与孩子朝夕相处，父母对孩子的影响最久也最深刻。如果家长自身就很喜欢交朋友，对身边的人特别热情，孩子耳濡目染，也能够热情对待身边的伙伴，交往能力自然得到了锻炼和提升。如果家长不善交友，孩子在与人交往方面自然也缺乏经验。要想提高孩子的交往能力，父母可以先尝试改变自己，用自己的行动来影响带动孩子。

家长和孩子的观念有时会不同，因此在教育孩子的过程中，难免会与孩子产生一些矛盾。作为父母，要尽量避免和孩子发生争执，因为孩子会模仿家长激动的情绪、激烈的言辞，使得场面无法控制。而且争执只会让孩子认为自己的观点是正确的，家长的话一句也听不进去，甚至会让孩子由于冲动做出一些过激的行为。如果激烈的争执已经产生，家长要及时按下"暂停键"，给

大家一个冷静思考的时间，等大家的情绪都平和了再来沟通解决。这样，孩子一定会感受到家长包容的心态、积极的处事方式，并且向家长学习，继而学会尊重家长的意见，做出适当的让步。

教给孩子一些交往的方法

孩子在与伙伴交往的过程中常常会遇到各种小矛盾，甚至受一些小委屈。但就是这些小矛盾小委屈，如果家长引导不当，会对孩子的性格产生一定的影响。

面对孩子之间的小矛盾，有些家长就带着自己的孩子回避，次数一多，孩子会逐渐认为这些交往中的小问题连家长都解决不了，自己一个小孩子更解决不了，一个人玩挺好的，没必要和别人一起玩。时间久了，孩子在交往方面就会变得胆怯抵触。也有些家长在孩子做游戏的过程中总怕自己的孩子受委屈，一旦孩子之间有点儿小矛盾，马上就对别的孩子横加指责，偏袒自己的孩子，导致自己的孩子渐渐以自我为中心，要不就变得非常懦弱，要不就变得非常蛮横霸道，交往能力也没有得到提升。因而，对于孩子们在玩耍时遇到的各种小矛盾，家长要既不逃避，也不偏袒，因为这两种方式都会对自己孩子的心理造成不好的影响。

针对孩子之间的小矛盾，家长要教给他们一些解决问题的方法，如合作、协商、分享、轮流等。翔翔小的时候，我曾带他去公园玩，看到一个小男孩带了一把喷水枪，周围几个小朋友都觉得很有趣，便围了上来，小男孩紧紧地捂着自己的喷水枪，生怕别人动一下。这时，小男孩的妈妈和他商量能不能让大家每人轮流玩一会儿，小男孩犹豫了一下，还是答应了，结果大家玩得都很开心。因为小男孩是喷水枪的小主人，在整个过程中由他来组织大家玩。玩了一会儿，有两个小伙伴争执起来，这个小男孩顺利地给他们进行了调解。能看出来，整个过程中，他特别有自豪感。在家长的影响下，孩子通过自己解决问题化解了各种矛盾，与伙伴愉快相处，感受到集体带来的温暖与快乐，逐步成为一个受伙伴欢迎的人，并且在小集体中进一步提升与他人相处的能力。

给孩子创设交往的环境和机会

孩子的交往圈子一般都比较小，父母可以有意识地帮助他们创造交往的环境和机会，让孩子交到更多的朋友。

我家翔翔在上幼儿园时，同班的好几位小朋友都和我们住在同一栋楼里。每当幼儿园放学后，孩子们都在楼下玩得特别开心。上小学后，我们搬了家，居住的小区里没有认识的伙伴，翔翔常常一个人玩，很孤单，我也希望他能尽快交到一位好朋友。

一天，我们去离家不远的一个公园玩耍。刚到公园没一会儿，翔翔就遇到了一位同学，两人高兴地玩了起来，这位同学就是翔翔后来在学校最要好的伙伴小崔。玩了一会儿，小崔的家长过来了，我马上主动上前与他们打招呼，一了解才知道，原来他们就住在这个公园附近。于是，每到周末，我们就互相约着一起到这个公园玩耍。一次偶遇和我的主动结交，让翔翔多了一个好朋友。在小学六年的学习生活中，翔翔和小崔形影不离。两个小男孩各有所长，在相处中互相影响，共同进步。上了初中后，两人还隔三差五地相约一起外出。我和小崔妈妈也成了朋友，相互沟通教育方法，成了教育路上的互助者。

如果孩子身边缺少伙伴，家长可以关注一下住得比较近的同学或者和孩子年龄相仿的邻居，为孩子创设一些交往的机会，如一起外出玩耍、邀请对方来家里做客等，从而帮助孩子拓宽交友范围。这样孩子可以与更多伙伴相互学习，取长补短，共同提高。

引导孩子学会礼尚往来

翔翔上小学高年级时，一位同学要过生日，请他去参加生日聚会。翔翔想给这位同学准备一份小礼物，我就从家里找出来一个全新的笔筒，说：“这个怎么样，摆在桌上多实用！”翔翔摇了摇头，我又找出一个没有开封的新铅笔盒，他一边摆手一边说：“同学好不容易过一次生日，就别送学习用具了。送点儿人家喜欢、感兴趣的东西！”孩子的一句话听得我特别惊讶，虽然话是有些幼稚，但是他确实是站在对方的角度来思考送什么礼物。我想应该尊重孩子的想法，于是给了他几十元钱，让他自己去给同学买礼物。

礼尚往来是人们增进感情的一种重要方式，家长可以鼓励孩子在别人重要的时刻送上自己的一份小礼物，东西无须贵重，重在表达自己的心意和祝福。如果在选择礼物的时候孩子能够站在对方的角度来选择就更好了。在礼尚往来中，既增进了伙伴间的情感，又提升了孩子的交往能力。

马克思曾说："交往是人类的必然伴侣。"我们每一个人都生活在一个社会群体中，交往既是人的需要，也是社会对人的要求。善于交往的人在生活中更受欢迎，做事的成功率也比较高。从小培养孩子与人交往的能力，会让孩子受益一生。

自己的事情自己做
——培养孩子的自理能力

孩子自理能力的提升，是对自己负责的表现。小时候自理自己的日常生活，长大了自理自己的人生大事。

生活自理能力是孩子在日常生活中照料自己的能力，它是一个人应该具备的最基本的生活技能。生活自理能力是社会适应能力的重要组成部分，在孩子成人后的生活中有着极重要的作用。因而，培养孩子的生活自理能力，是父母家庭教育的一项重要内容。

在生活中，常听到一些年轻父母抱怨孩子的自理能力差，家长每天围着孩子忙得团团转，而孩子却认为自己的事情就是父母的事情，毫无要自理的意思。也有一些老年人抱怨孩子已经成人了，却还在啃老，日常生活过度依赖年迈的父母，不能完全独立。

很多家长只关注孩子的智力开发，而忽视生活自理能力的培养。在父母的过度包办下，孩子会产生很强的依赖心理。也有一些孩子，本来通过模仿学会了一些自理的技能，但父母总是批评他们做得不够好，让孩子错误地认为还不如不做。父母以爱的名义，包办了孩子生活中所有的事情，没有给孩子留有锻炼提升自理能力的机会和空间。

教育专家指出："依赖本身就滋生懒惰、精神松懈、懒于独立思考、易为他人左右等弱点。"孩子自理能力低下，除了不能把自己照顾好，还会附带懒惰、缺乏主见、依赖心理强等其他问题，而这些问题解决起来常常比锻炼孩子的自理能力更加困难。因此，培养孩子的生活自理能力，自然也会提升责任感、自信心以及处理问题的能力，对孩子今后的生活产生深远的影响。

培养孩子的生活自理意识

同事经常向我抱怨，说她儿子嘉嘉在学校把自己的事情料理得非常好，也很爱班级劳动，是老师得力的小助手。但是只要一回到家里，他就像换了一个人，非常懒散，东西乱扔，不爱惜家人的劳动成果，自己的衣柜、书柜里乱七八糟，需要奶奶定期整理。同事也分析了儿子的这种现象形成的原因：嘉嘉认识到在学校没有人可以帮助他，做事只能靠自己，而且通过为班级工作还能提升自己在同学、老师心目中的威信，因而在学校会努力把事情做得尽善尽美。而回到家里就不一样了，没有了同学间的比较，没有了老师的监督，爷爷奶奶对他的生活又照顾得特别全面，嘉嘉觉得没有必要在家里费力自理自己的生活了，于是养成了在家懒散、依赖别人的心理。

孩子自理能力比较弱，常常不是因为他们不会做，而是因为他们理所当然地认为家里的这些事情就应该让家长来解决，只要有家长在就什么都不用管。反观他们的家长，也有被依赖的心理，认为孩子的事情就是他们自己的事情，如果有哪方面没有做好，也是自己的失误。因而，要想改变孩子的自理问题，先要转变家长的教育观念。

著名教育家陈鹤琴先生提出：“凡是儿童自己能做的，应当让他自己来做。”因而，培养孩子的自理能力，要从培养他们的自理意识入手。要让孩子知道自己长大了，在生活上不能完全依赖父母，要有主动自我管理的意识。同时，家长也要减少对孩子的包办代替，努力做到让孩子“自己的事情自己做”，让孩子把本属于自己的工作主动承担起来，在亲身实践中，提升自己的生活自理能力。

不会的事情学着做，给孩子锻炼的空间

很多父母在孩子小的时候不愿意让他们承担家务。一方面是心疼孩子，怕孩子受累；另一方面是觉得孩子年龄太小，什么事情也做不好，即便做了，家长还要帮着处理遗留下来的“烂摊

子”，还不如自己做省事。但如果家长不放手，孩子的自理能力就会变得低下，长大后还依赖家长，这才是真正的“烂摊子”，到那时解决起来会更加棘手。因而，家长还是要让孩子从小承担起属于自己的工作，提升自理意识和能力。

在涵涵上小学前，表妹对女儿一直照顾得很细致。一天，表妹在给女儿洗衣服，涵涵在一旁看着，觉得那些泡泡很有意思，就主动提出来想自己洗内裤和袜子，表妹欣喜于女儿的想法，点头同意了。因为女儿是第一次洗，所以表妹给予了具体指导，涵涵开心圆满地完成了任务。表妹顺势鼓励她今后自己的内裤都由自己来洗，女儿高兴地同意了。

过了几天，涵涵第二次洗内裤，表妹没有给予指导，涵涵弄得水池子台面上、衣服上很多水，洗衣液也洒了一些。表妹看到后，皱了皱眉头，但还是表扬了女儿能自己的事情自己做了，同时希望涵涵下次洗完后把收尾工作也做好。涵涵听到妈妈的鼓励后，热情更高了。此后，表妹又教涵涵怎样分类整理自己的书柜和衣橱，怎样叠衣服……在表妹的指导下，涵涵的自理能力提高很快，受到了家人的一致好评。

孩子们毕竟年龄小，要想提升生活自理能力，前期还是离不开家长的耐心指导。看到孩子一开始做得不够好时，家长也不要着急，急躁和批评只会让孩子产生压力，失去尝试的勇气。应该像表妹那样多鼓励，给孩子继续做下去的信心，孩子就会在家长的鼓励和引导下越做越好。

自己的事情自己做主

随着翔翔中考成绩的出炉，报哪所高中成了摆在我们全家面前的一个问题。姥姥说去小姨毕业的那所中学吧，那所中学里有几位老师特别出色，现在还有联系呢。爸爸说选一所离家近的高中吧，路上安全很重要。面对不同的声音，翔翔说想选一所和自己成绩最接近的高中。可与他分数接近的那所高中离我家比较远，如果去这所高中，我们就不得不搬家了，我和翔爸还会面临上班跑家的问题。最后，经过再三的思量，我们尊重了孩子的意见。在接到录取通知书后，我们就开始找房子，在开学前顺利搬完了家。

随着孩子年龄的增长，家长可以给予孩子更多的自主选择空间。从家里的各种小事到与孩子有关系的大事，都可以让孩子自己来拿主意。当然，在孩子自己选择的时候，家长也要帮着权衡把关。如果孩子的想法确实不可行，家长也一定要把原因和道理讲给孩子听，引导孩子及时做出调整。孩子在对自己的事情自己做主的过程中，考虑问题会更加全面、长远和深入，既培养了做事的胆识和深入思考问题的能力，又能从小就对自己的人生有目标、负责任、勇承担。

歌德曾说过：“谁不能主宰自己，他就永远是一个奴隶。”“人”字一撇一捺的结构，不就是自立的支撑吗？孩子自理能力弱，主要是由于家长包办代替得太多，剥夺了他们成长锻炼的机会，妨碍了孩子独立性的发展。家长注重对孩子自理能力的培养，才是对孩子正确的爱。孩子也会在提升自理能力的过程中培养独立、自信、负责任等良好品质，逐步成长为一个自强的人。

让运动成为生活的一部分——提升孩子的运动能力

法国启蒙思想家伏尔泰曾说："生命在于运动。"而运动的好处不仅是强身健体，伴随其而来的品格发展也会让孩子受益终身，让运动成为孩子生活中的一道亮丽风景线吧！

随着孩子年级的升高，学习负担也越来越重。有些孩子在学习之余，还能挤出时间主动运动。但有些孩子写完作业后，就宅在家里玩电子游戏，家长们为此特别发愁。

有一次，我和翔翔聊起他以前的几位朋友，我问："你们为什么现在不一起活动了呢？"翔翔回答道："以前我们都是在公园里跑跑跳跳，现在大了，谁还玩那些啊。我现在爱和几个新朋友打篮球。"我不解地问道："为什么不和以前的朋友打球呢？"翔翔遗憾地说道："以前的那几个伙伴都不太会打，玩不起来。"听了他的话，我意识到随着年龄的增长，喜欢体育运动的孩子就爱聚在一起玩，在运动中默契配合，切磋技能，水平也随之越来越高。而那些没有体育爱好的孩子已经不能加入其中一起玩了。

看来，培养孩子的运动兴趣和能力确实非常重要，在增强体魄的同时，还可以调剂孩子紧张的学习状态。

从小培养孩子的运动兴趣和能力

体育兴趣和能力的形成不是一蹴而就的，而是需要一个长期培养的过程。一次，一位同事问我，翔翔的运动协调性很好，是怎样培养的。我回忆了一下，在翔翔七八个月大的时候，我从幼教书上了解到让孩子多爬益处很多。于是，我就托着他的小肚子让他练习爬，小家伙没多久就爬得很熟练了。为了能让孩子有一个较大的活动空间，我每天把地面擦干净，把卫生间和厨房的门关上，把他放在地上让他随便爬。我想，是早期充分爬的经历为翔翔运动的灵活性、协调性奠定了一个良好的基础。

一次，我在电视上看到一个体育竞赛项目——女子高山滑雪。解说员介绍，很多运动员都是滑雪世家出身，在她们三四岁的时候，父母就让她们练习滑雪，滑雪是家族度假的一项重要内容。我听完后十分惊讶，孩子这么小就可以学习滑雪了？但转念一想，其实在孩子们的眼中，很多体育项目的学习是和玩混为一体的。回忆我们小的时候，跳皮筋、打沙包、滚铁环、打羽毛球……都是常玩的游戏，这些游戏中也蕴含着较高的体育技能，伙伴们在相互的帮扶中都陆续学会了。现在也常能看到很多孩子穿着轮滑鞋在广场上练习轮滑，追逐嬉戏。其中一些年龄较小的孩子，不怕磕碰，不畏困难，追随着哥哥姐姐踉踉跄跄地学习着。

因而，体育兴趣和能力应该从小开始培养，孩子们相互模仿，在学与玩的交互中，兴趣和能力的种子就已经悄然发芽了。

学习体育技能，感受运动带来的快乐

说起我家翔翔最喜欢的体育运动，那还要数打篮球了。大约在小学三年级时，翔翔主动提出来想学习打篮球，我就给他找了一位体育专业的大学生利用假期时间教他，小老师寓教于乐，翔翔非常喜欢。两个假期过后，翔翔的篮球水平进步很快。在六年级时，他有幸参加了校篮球队，篮球队一个星期要训练三次，非常辛苦。但因为他喜欢打篮球，所以每次都能兴趣盎然地参加训练，从来不觉得苦和累，不训练的日子里也想去活动活动。上初中后，翔翔主动报名参加了校篮球队，在几次区级比赛前，老师不光对队员的篮球技能进行严格训练，而且着重指导队员间的配合与战术，这对翔翔很有帮助，也让他更爱打篮球了。现在，虽然翔翔离开了篮球队，但是当初一起打比赛的那些孩子还会利用周末时间和他打打球，既丰富了课余生活，又纾缓了紧张学习带来的压力。回忆翔翔的学球过程，我真心感谢最初的那位体育小老师，正是他宽松愉快的教学氛围、耐心细致的指导，才让翔翔迈入了篮球的世界，并且爱上了这项体育运动。

很多体育技能的学习在初期是辛苦而枯燥的。在孩子入门时，家长一定要给予他们更多的鼓励和支持，让孩子能够看到自己的进步，对自己的学习过程有成就感，增强主动克服困难的决心。如果能找几位小朋友一起学习，在学习之余伙伴们还可以相互交流和鼓励，体育技能学起来就会轻松很多。上完课后，小伙伴们再一起玩耍一会儿，学得开心，玩得快乐。很多不同的体育项目之间都是相通的，学会了这项，也自然为其他项目的学习奠定了基础。

运动背后的人生课堂

在运动中发生的很多小事，也许孩子们转头就忘了，但是这背后所蕴藏的品格培养会浸润孩子们的心灵，锤炼他们的意志，引领他们超越自我。也许孩子们并不知道自己收获了这些，他们只是享受其中，在沉浸中成长。

初一的一个假期，我为翔翔组织了一支五六人的小型篮球队和他一起上篮球课，其中的一位男生是翔翔的同学，他给我留下了深刻的印象。这位男生的妈妈在电话里跟我说，她儿子不爱与人交往，所以想让他参加篮球队多交几个朋友，但担心孩子不愿意上课，所以想上一次课试试。这位男孩的妈妈想让翔翔在第一天上课的路上迎一下他们，让孩子感受到一点儿亲切感，我说没问题。

第一天上课前，我在去的路上遇到了他们母子，远远看到他妈妈一直在劝导儿子参加这支小篮球队，而孩子却走走停停、支支吾吾，快到约定地点时，这个男孩就不往前走了。这时，翔翔正好从对面走来，就招呼这位同学一起过去，这个男生也不好拒绝，他们俩就一块儿走进了训练场。因为有伙伴间的积极互动，后面的几节课，这个男生上得很顺利。几次课下来，小篮球队的几位同学都相处愉快，这个男孩腼腆的性格也改变了不少，大家都成了好朋友。

从这个男生的变化中，我真切地感受到体育运动对人的心理活动起到了积极的作用，可以纠正很多性格弱点。孩子们在运动中要遵守体育规则，与他人互动交流，默契配合，这就会使孩子的性格逐渐变得开朗、活泼，有助于培养孩子与人合作和遵守规则的意识，提升孩子的人际交往能力。

翔翔上初二那年，在一年一度的校园篮球比赛中，他们班在初赛中取得了不错的成绩，同学们欢欣鼓舞，对后面的比赛充满了期待。但在复赛中他们输了球，同学们情绪都很激动。有的气愤得哭了，有的埋怨队友某个球没有传好，还有的认为判罚不公平，要去找裁判……班主任老师看到后，先稳定好大家的情绪，然后让同学们好好想一想赢球和输球的原因，以及今后应该怎样做。第二天，班主任老师组织大家召开了“篮球赛后的思考”主题班会，同学们在班会上畅所欲言，在争论中认识到，无论是面对篮球比赛还是生活中的其他事情，都要有“胜不骄、败不馁”的积极心理。一场篮球赛给同学们上了生动的一课 。

邓亚萍在一档节目中谈到让儿子学习体育的目的：“练乒乓球最重要的目的是让他吃苦，让他知道做成一件事情是非常不容易的，需要付出巨大的努力和代价。”她还谈道：“成绩在其次，希望孩子通过体育比赛培养全面人格和公平竞争的意识。”运动除了可以强身健体，其背后还蕴藏积极的人生观和价值观，是生命哲学的一部分。孩子们在运动中学会了苦练内功、勇于拼搏、挑战自我；学会了以平常心看待输赢，培养胜不骄、败不馁的精神；学会了与伙伴团结协作、积极互助……这些宝贵的精神财富，不是靠听家长和老师说教得来的，而是自己在运动拼搏中用泪水和汗水沉淀积累下来的，终身受用。

喜欢运动的孩子是幸福的，让孩子们走出家门去运动吧，运动会成为孩子生活中一道亮丽的风景线！

让孩子有一份固定的工作——提升孩子的劳动能力

劳动能力是孩子今后能够独立生活的基础，是自立于社会的根本，是一个人最为宝贵的素质之一。

常听上一辈说起他们小时候家庭条件比较艰苦，兄弟姐妹们需要一起辛苦劳动来帮助父母养家糊口。在艰苦的生活中，他们培养出家庭责任感，养成了勤俭节约、热爱劳动的美德。现在的物质生活越来越好了，但是很多孩子在父母的呵护下，责任感和劳动能力普遍比较弱，不光自己不劳动，还出现了不珍惜别人的劳动成果、不尊重身边劳动者的现象。可孩子们终究会长大，会离开父母的庇护步入社会，因此劳动是他们的必备生存能力之一。因而，家长还是要把眼光放长远，从小培养孩子的劳动能力。

让孩子有一份固定的工作

涵涵不太爱说话，但喜欢劳动。一次，老师在班里问谁愿意负责放学后把教室垃圾桶里的垃圾倒掉，可能是同学们都嫌脏，没有人应答，后来涵涵羞涩地举起了小手。表妹听说涵涵主动承担了这份工作后，非常高兴，鼓励她每天坚持把工作做好。每天放学前涵涵总是提前把自己的东西整理好，当别人还在收拾时，她已经把垃圾倒完了。有时课间她看垃圾桶满了，也及时去倒。涵涵经常自豪地对家人说，老师经常在班里表扬她，鼓励其他同学向她学习。老师的鼓励、家长的肯定，让涵涵工作的热情更高了。学期末，涵涵还被评为了班级优秀小干部。通过为集体服务，涵涵就像换了一个人似的，变得自信开朗多了，也能主动与同学们交往了，笑容常常洋溢在脸上。

家长应该鼓励孩子在集体中找到一份属于自己的固定工作，如开关灯、浇花、图书角管理、扫地、倒垃圾等，有的工作比较脏累，有的工作比较费心，但都是锻炼孩子能力的好契机。孩子在劳动的过程中，感受到自己在集体中的价值，从而提升集体责任感和劳动能力，

赋予劳动责任的意义

翔翔上小学时，有一次，我让他帮着扫扫家里的地，并对他说：扫完了给你五元钱。”翔翔听后，高高兴兴地把地扫了，得到了五元钱。第二天，翔翔主动问我：“今天还扫地吗？”我说：“好啊。”他马上跟着说道：“今天给几元钱呢？”我听后，意识到儿子并不是真的想扫地，而是想借此挣点儿钱。我答道：“怎么能只想着要奖励，为家人劳动是家里每一个人的责任。”说完，我自己都觉得这句话在这个时候显得软绵无力。果然，儿子丢下扫把走了。我看着地上的扫把和孩子远去的背影，认识到要想通过物质或者金钱的奖励来培养孩子的劳动意识不可行，必须要把这项劳动变成他的一份固定工作和责任。

晚上我与儿子聊天时告诉他，家庭中的每个人都要承担一份工作，劳动是每个人的责任，人人付出，人人受益。儿子问我：“那我以前为什么不用干活呢？”我说：“因为你以前比较小，没有劳动能力。你现在已经长大一些了，可以为咱们家做点儿事情了。再过几年，你还能为家里做更多的工作，因为你的能力更强了。”儿子听后点了点头。接下来，我和翔翔商定了他每天的工作内容：饭前盛饭、端菜和饭后收拾碗筷。刚开始，翔翔常常不知道如何去做，我及时给予了指导，慢慢地就越干越好了。翔翔中途也产生了几次不想继续干的念头，在我的鼓励下坚持做了下来。

有些家长为了培养孩子的劳动能力，就像我刚开始一样，给予一些物质或金钱的奖励，孩子劳动的动力就是得到这些好处。物质或金钱的奖励在适当的时候可以用，但不能总用，否则一旦撤离奖励，孩子的劳动积极性也就跟着没有了。因而，还是要让孩子认识到作为家庭中的一员，为家里承担一部分劳动是他的责任，而不是可做可不做的事情。在孩子认同的基础上，请孩子自己来挑选他愿意承担的工作，在孩子劳动的过程中家长再给予适当的指导和鼓励，让孩子坚持做下来。

在劳动中持续培养孩子的责任意识

在一次旅行中，旅行团里有一家四口，爸爸、妈妈和两个男孩，大儿子是一名初中生，小儿子还没上学。几天的行程下来，全团的人都混熟了。这位妈妈在和我聊天的时候谈到，大儿子挺懂事的，总帮着妈妈做家务，有时候还能照顾弟弟。每当她下班后拿了较多的东西回家，运不上楼时，就在楼下给大儿子打个电话，他马上就下来取。大儿子劳动从来不惜力，懂得心疼人。而且大儿子学习还挺好，很少让妈妈费心。从这位妈妈的言语中，我们能够感受到她的大儿子是一个爱劳动、懂事的好孩子，他能够体谅父母又要上班又要抚养两个孩子的辛苦，愿意为父母减轻繁重的家务劳动负担。

为人父母爱自己的孩子是本能，但这份爱应该是正确、理智的爱。如果父母只是一味地付出，生怕孩子在劳动中吃苦受累，容易造成孩子缺乏家庭责任感，认为父母为他们做什么都是应该的，从而变得自私自利。教育家魏书生曾坦言，教育的头等大事是教会孩子承担家庭责任。孩子做家务劳动，就是在用实际行动承担家庭责任。

注重培养孩子劳动能力的父母一定是有智慧的家长。孩子在劳动中学会关爱家人，提升责任感；在劳动中克服娇气，培养勤俭奉献的精神、独立坚强的个性；在劳动中学会遇事积极思考、优化安排。让孩子感受劳动带来的快乐吧。孩子只有拥有了劳动的能力，才能够为自己今后独立生活和自立于社会奠定基础。

这座高山能翻越
——培养孩子的意志力

人们常说："有志者事竟成。"孩子在成长的道路上，只有具备坚强的意志力，才能实现一个个阶段性目标，不断前行，攀爬上自己理想的高峰。

苏东坡曾说："古之立大事者，不惟有超世之才，亦必有坚忍不拔之志。"成功的人之所以取得巨大的成就，绝不只是因为拥有超出众人的才华，更是因为有坚韧不拔的意志。意志力是一种重要的品质，常决定人发展的高度。有人可能会说，意志力的培养多难啊，成人具有持久的意志力都不是一件容易的事情，更何况是孩子。其实，对于孩子来说，意志力的培养就藏在一件件小事中，只要家长有意识去引导，就能让孩子的意志力得到锻炼和提升。

鼓励孩子克服困难，坚持做好每一件小事

意志力不是与生俱来的，而是受环境影响或者通过训练获得的。在日常生活中，很多孩子遇到困难就想打退堂鼓。这个时候，家长的引导就变得非常重要。如果家长放弃了，那孩子也会觉得没有必要去劳神费力，意志力的培养就无从谈起。反过来，如果家长能给予孩子积极的支持，那孩子也就会咬牙坚持下来。

翔翔五岁生日的时候，翔爸送了他一桶拼插玩具，翔翔很喜欢，每天都要玩一会儿。但每当翔翔想让翔爸帮他从众多的小零件中找某一个零件时，翔爸都拒绝了，只是鼓励他自己慢慢找。有一次，拼插的工程非常复杂，要对照着几张图纸一点点来拼。翔翔拼到后期才发现好像前面有地方拼错了，导致有一个零件怎么也插不上去。翔翔气急败坏地想要放弃，翔爸鼓励他别着急，并且和翔翔一起对照着图纸仔细研究，发现是比较靠前的一个环节出了问题，需要从那里返工。找到问题的原因后，翔爸继续鼓励儿子自己完成返工。在爸爸的鼓励下，翔翔静下心来对玩具的部分内容进行了返工，最后终于拼插成了一座结构复杂的军事城堡。翔翔非常喜欢这套玩具，我们后来搬了几次家，他都不舍得把玩具送人，每次都是把它装在一个大盒子里，搬到新的住处。

孩子在成长的过程中，会遇到各种困难，作为家长应该鼓励孩子先自己尝试着克服困难，如果困难太大，孩子实在克服不了，家长再适当帮忙，和孩子一起分析问题的原因，但仍要以孩子独

立完成为主。迈过了这道坎，家长再鼓励孩子继续独自完成任务。孩子每一次克服困难，战胜惰性，坚持到底，最终取得成功，都是对意志力的锻炼。父母不可能庇护孩子一生，只有减少包办，适度放手，让孩子不断接受磨砺，才能培养出坚韧的意志品质。

对孩子们来说，很难有什么惊天动地的大事，意志力的培养就从认真做好每一件小事做起。用心上好每一节课，踏实写好每一天的作业，积极参加每一次训练，玩完玩具自己主动收好……这些平常小事做好一天容易，要想每天做好却很难，是对意志力最好的锻炼。拖拖拉拉、粗心大意、敷衍了事……这些都是培养意志力的绊脚石。孩子从小认真做好每一件小事，将来在大事面前才能经受得住考验。

明确目标，制定要求

意志力不是喊口号喊出来的，它是孩子通过努力实现目标磨炼出来的。可是孩子由于年龄小，所以即便心里有目标也不知道该如何努力，而且容易被身边的各种因素所干扰，总是坚持不了多久就放弃了。

在翔翔上小学时的一次家长会上，老师让几位家长谈谈培养孩子的方法。其中一位家长讲到用“明确目标，制定要求”的方法引导孩子，对在场的家长们很有启发。

这位家长的儿子上小学后对学习不太感兴趣，学习不用心，成绩也不太理想。一天，孩子看到一位小伙伴骑上了新自行车，特别羡慕，就跟她提出来想买一辆新自行车。她没有马上答应儿子，而是对他说："可以啊，咱们在学习上加把劲，期末考试名次上升十位，自行车就是奖励，行吗？"孩子听了妈妈提出的要求后，有点儿犹豫了，但想买一辆自行车的愿望越来越强烈。两天后，儿子对妈妈说："我愿意试一试。"确定下成绩名次上升十位的目标后，妈妈和孩子一起罗列了一下对日常学习的要求，内容涵盖了预习、复习、写作业、听讲等不同的方面，还在目标单上画了一辆漂亮的自行车，然后把这张要求表贴在了书桌前。在接下来的日子里，儿子为了自己的目标开始努力学习，每当他想偷懒时，桌前的目标单都在默默地督促他，妈妈也花了更多的时间来陪伴他。期末考试儿子的名次上升了十多位，如愿得到了梦寐以求的自行车。

当孩子跟妈妈提出想买一辆自行车时，妈妈用自行车作奖励来激励孩子好好学习，将成绩名次往上提十位，于是"名次上升十位"就成了孩子奋斗的目标，那张贴在书桌前的目标单时时提醒孩子为自己的目标而努力。妈妈还和孩子一起列出学习的各项要求，有了明确的要求，对孩子来说可操作性就大大增强了。另外，孩子由于年龄小，意志力弱，光靠自己的努力是很难坚持下来的。如果总半途而废，更容易形成自己什么都不行的心理，对今后的成长反而不利。这位妈妈通过陪伴和督促，让儿子顺利坚持了下来，可见，有了家人的陪伴和引领，更有助于孩子培养意志力，实现自我超越。

爱因斯坦曾说，在一个崇高的目标支持下不停地工作，即使慢也一定会获得成功。只有心怀目标，才会有前进的动力和方向。家长可以和孩子一起确定目标，制定要求，并在不同的时期树立不同的目标。在追寻目标的路上，孩子必然会有需要咬牙坚持的经历，而正是这些宝贵的经历提升了孩子的意志力，帮助他们实现自我超越。当然，在这条路上也一定离不开父母的陪伴和鼓励。

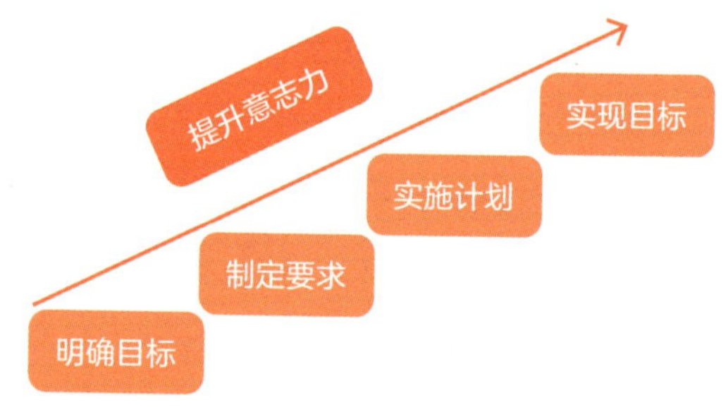

积极暗示，勇于面对困难

我上初中时，期末学校要进行女生800米的测试。长跑一直是我的弱项，所以我的内心比较抵触。老师笑着对我们说："长跑可以很好地锻炼人的意志力，你们在家有时间可以多练习，当你们在跑的过程中觉得快要坚持不住时，可以深呼吸，调整脚步，不断给自己心理暗示，告诉自己一定可以坚持下去。"为了能顺利达标，我经常在周末练习长跑。每次跑到后半程时，我就会气喘吁吁，脸颊火热通红，腿像灌了铅一样，但我默默告诉自己：“调整呼吸，放轻松，一定能坚持下来。”每每这样调整了呼吸和步伐后，我就会立刻感到轻松许多，也就坚持下来了。

转眼间，期末测试的日子如期到来。我站在起跑线上有点儿紧张，但暗暗鼓励自己：“练习了那么长时间，相信自己一定能坚持下来。”从起跑开始我就是跑得最慢的，由于紧张和压力过大，到了后半程我觉得有点儿坚持不住了，两眼发花，腿像灌了铅似的抬不起来，但看到场外老师和同学们都在为自己加油助威，我又有了跑下去的信心。我咬紧牙关，又开始想那句神一样的暗语：“调整呼吸，放轻松，一定能坚持下来。”调整过后，果然轻松了很多。我加快速度，向前跑去，在快到终点时超过了前面的那位同学，顺利通过了长跑测试。这件事情过后，每当我遇到困难时，我就默默地想：“一定能坚持下去。”

意志力的培养常常与困难相伴，因为只有当遇到困难时才需要发挥意志力。在孩子努力前行的路上，家长可以引导他们尝试对自己进行积极的心理暗示，在快要坚持不住时，心里默默想：“我是最棒的，再坚持一下。”通过这些积极的心理暗示，孩子可以为自己克服困难继续前行增添力量。这种积极的心理暗示也会成为一种习惯，在孩子今后成长的路上，陪他们一次次战胜困难。

由于孩子年龄小，他们意志力的培养很大程度上来自父母的言传身教。当孩子遇到困难时，父母要和孩子一起千方百计寻求解决问题的方法，给予孩子鼓励和陪伴，不轻言放弃。父母坚强的意志力，就是支撑孩子的支柱，更是孩子效仿的榜样。在父母的影响下，孩子一点点建立起属于他们自己的意志力。意志力的培养不要等到遥远的未来，就从当下的点滴小事开始做起。

感受高效率带来的快乐
——珍惜时间，提高效率

古人云：“一寸光阴一寸金，寸金难买寸光阴。”这句经典的名言告诉大家不要等到蹉跎了岁月，才感慨时间的可贵。因而，家长要从小培养孩子珍惜时间的意识，学会科学管理时间，提高做事效率。

管理大师彼得·德鲁克说：“不能管理时间，便什么也不能管理。时间是世界上最短缺的资源，除非严加管理，否则就会一事无成。”很多孩子都有磨蹭、拖拉的坏习惯，不知道合理安排时间，常常是费时很多，但效率并不高。父母催来催去，一开始还有点儿效果，但时间一长，孩子就烦了，又回到老样子，其问题主要出在孩子缺乏管理时间的意识和能力上。

让孩子意识到提升质量就是在节约时间

堂弟的儿子阿亮每天放学回家后写作业的积极性并不是很高，写的时候磨磨蹭蹭，质量也不高，写完作业后再写堂弟给他留的练习更是极其不情愿。有一次，堂弟问阿亮："你为什么写作业这么慢？"阿亮答道："我写完作业了你还要给我留新的，那还不如慢点儿写，这样写完学校作业就可以睡觉了。"听了阿亮的话，堂弟意识到儿子是在和自己耍心眼儿。

于是，堂弟先给阿亮讲了珍惜时间的意义，告诉他学习是为自己学的，要提升学习的质量，鼓励他提高学习的自主性。和阿亮谈完后，堂弟又和阿亮一起商量了晚上时间的安排，阿亮提到写完作业后想少做一点儿练习，给自己留出一点儿放松的时间。堂弟点头赞同，同时希望阿亮能抓紧时间写作业，写的时候认真一些，提高正确率，这样可以减少修改的次数，让玩的时间更加充裕。堂弟的建议阿亮欣然接受。随着阿亮课内的作业质量的提升，堂弟课外的补充也就减少了。

很多孩子由于年龄小，认为学习是为家长学的，因而有磨蹭的坏习惯。面对这样的情况，家长要告诉孩子学习是在为自己学，要珍惜宝贵的时间，提升做事的质量和效率，避免没必要的返工，就是在为自己节约时间。父母可以和孩子一起算一算，一次就做好和做得不好需要返工，哪个更加节约时间。省出来的时间还可以用来做自己喜欢的事情，学习之余发展兴趣爱好。

鼓励孩子合理规划时间

著名成功学大师安东尼·罗宾是一个善于管理时间的人。有一次，他去一所大学做演讲，他在讲桌上放了一个大大的玻璃瓶，然后拿出一些较大的石块放入瓶中，问学生："瓶子满了没有？"所有的学生都异口同声地答道："满了"。安东尼又拿出一些小石子放了进去，碎石落在了大石头间的缝隙里。安东尼接着问大家："满了吗？"有了上次的经验，同学们不再回答了。安东尼又拿出一杯细沙，缓缓倒了进去，细沙填满了碎石之间的空隙。安东尼问："这次满了吗？"同学们答道："应该没有吧。""没错。"安东尼又拿出了一杯水倒了进去，同学们看得目瞪口呆。安东尼说道："我今天演讲的主题是'做个时间的管理者'，这个小实验说明什么呢？"一位学生答道："时间是可以挤出来的。"安东尼微笑着点点头，他接着说道："还说明时间要合理安排。大石块是重要的事情，而碎石、沙子、水是琐碎的事情。杯子里要先放大石块，再放其他的东西，如果先放其他东西，大石块就放不进去了。在时间的安排上，要先做重要的事情，再做不重要的事情。如果你将所有的时间都花在了不重要的琐事上，就是浪费时间。只有把石块放在第一位，才是对时间的珍惜。"

家长们要引导孩子合理规划时间，先做重要的事情。大约从翔翔小学三年级开始，每个周末或者期末复习前，我都让他罗列一下要复习的内容。这些内容中有的难度大，需要大块的时间来背或者练习，有的只需要用碎片化的时间来看就行，所以罗列好内容后，他把精力最充沛、头脑最清晰的整块时间安排给难度大、费时的内容，用剩下的点滴时间处理那些难度较低的内容，每复习完一项就在旁边打一个钩。现在翔翔上高中了，每到临近期末，他还是先用这样的方法对要复习的内容做一个整体的规划，然后一项项完成。有了这样的一个计划表，他保证了时间的合理安排和复习的质量，同时提升了学习的自主性。

合理安排时间不光可用在学习上，对于做其他事情也一样。父母可以鼓励孩子面对繁多的事情时列个计划，将重要的、难度大的事情往前安排，把不太重要的事情往后安排，然后按照计划一件一件去做。这样孩子就会思路清晰，提高做事的效率。

我上初中时家离学校比较远，每天上学需要乘大约40分钟的公交车。当时的学习任务也很紧张，于是我就利用每天的乘车时间背单词和公式。三年坚持下来，非常有收获。碎片化时间除了用来背单词，还可以用来练字、写日记、读书、背书、健身等。每个人的情况不同，碎片化时间和可利用做的事情也不相同，但只要充分利用时间，日积月累，都能够有所收获。

只有学会合理分配时间，才能真正利用好时间。

养成“今日事今日毕”的好习惯

每年我都有一段时间工作特别繁忙。一开始我在白天上班时努力提高效率，到了下班时间就回家，不加班，没做完的事情第二天再做。就这样，工作越积越多，导致我上班的时候非常烦躁，下班回家也不是很踏实。经过几天的煎熬，我打算加班突击一下。下班后，同事们都陆续走了，我反而很心静，短时间里就做了不少工作。因为工作特别有进展，身心放松了不少。连续加了几天班后，积压的工作很快就清零了。有了这次经历，我尽量做到今日事今日毕，不积压。虽然有时加班确实很辛苦，但是因为没有给第二天的工作造成负担，反而减轻了压力。

无论是成人还是孩子，面对成堆的工作或功课都想拖到明天，这就是人们常说的拖延症。拖延会造成事情越积越多，还会让人在休息的时候惦记着没有完成的工作和学习任务，休息时也不能完全放松。因此，拖延不但不能节省时间和精力，还会让人更累，浪费很多宝贵的时间。

儿童和青少年时期正是时间观念形成的阶段，父母要引导孩子养成“今日事今日毕”的好习惯，当天的功课当天完成，把列好的计划按日期一项项完成，保证学习的效率和质量，从而学得踏实，玩得开心。

磨刀不误砍柴工

有些家长总是困惑，自己的孩子每天也很忙碌，为什么成绩总是不太理想呢？每个人的时间和精力都是有限的，随着孩子年龄的增长，他们所学的知识会变得繁多且难度增大。有的孩子有自己的学习方法，比如写作业之前先拿出书来看看知识要点，考试之前进行系统的复习……这些事情虽然花费了一些时间，但能让孩子的作业质量和考试成绩得到保证，使得孩子在后面的学习中总能保持积极的态度，形成一种“前期磨刀”的模式。但也有些孩子没有复习的习惯，导致知识掌握得不扎实，作业质量和考试成绩自然就不理想。

但这些孩子也很忙，忙于改错，忙于补知识漏洞，形成了一种“亡羊补牢”的模式。

“前期磨刀”和“亡羊补牢”两种模式都很忙碌，但相比较而言，“前期磨刀”对于提升做事的效率和培养积极性更有实效性。不仅是学习方面，“磨刀不误砍柴工”这句话可以隐喻生活的方方面面：准备工作做充分了，效率也就提高了。

翔翔初中时发生的一件小事，让我对“前期磨刀”又有了新的认识。翔翔有一段时间总困惑于在期末考试前怎样复习理科效果更好，于是我带着这个问题请教了他们的班主任老师。老师给我的回复是先梳理书上的概念和公式，在此基础上梳理作业和卷子错题，把问题的原因都彻底搞明白了，最后再做两套卷子，熟悉知识点的变式题型和综合题型。按照老师的指导做后，翔翔理科的复习效果明显提升了。

通过这件小事，我认识到“前期磨刀”也要讲求方法，否则就会效率低下。在“磨刀”的过程中，一方面要根据自己的长项和弱项有所侧重，另一方面可以请身边的朋友、学长给予指点，应用或改良别人的成功经验助自己提升效率。

另外，每做一件重要的事情，都要平衡好与之关联的各种因素，如睡眠、人际交往、营养饮食、体育锻炼等，平衡好这些因素，也是在“磨刀”。因为无论其中的哪一项出现了问题，都会影响到最终的结果。有的孩子在考前熬到很晚，影响了第二天的考试，这其实就是没有平衡好生活和学习。在做事前，可以先把各种相关因素都安排好，帮助事情顺利开展。

时间永远是我们宝贵的财富，一旦失去就不会回来。儿童和青少年时期正是提高时间管理能力的黄金时期，让孩子努力成为驾驭时间的主人，而不是时间的奴隶。

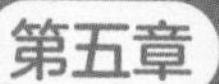

润物细无声
——塑造孩子良好的性格

心理学家杰克·霍吉曾说，性格决定命运。一个具有良好性格的人，往往比别人更容易获得成功和幸福。性格中有先天的部分，但受后天家庭教育的影响更多。儿童时期是性格养成的关键期，父母要用自己的爱和高质量的陪伴，塑造孩子良好的性格。

给孩子高质量的陪伴

家长的爱与陪伴可以给孩子内心安全感，这是良好性格发展的基础。

家长对孩子的陪伴是有“有效期”的，也就是孩子成长最关键的那十几年时间，“有效期”一过，孩子的很多方面就定型了，时间不能重来，孩子的成长只有一次，家长再想通过陪伴来引导孩子性格的养成就已经没有意义了。正如那句经典的话：陪伴，是最长情的告白。

不把孩子扔给“铁丝妈妈”

有一个著名的心理实验：心理学家给没有母亲的小猴做了两个假妈妈，一个是“布妈妈”，另一个是“铁丝妈妈”。铁丝妈妈身上有个奶瓶，布妈妈身上没有。因为布妈妈身体摸着柔软舒适，会给小猴带来安全感和温暖，所以小猴子除了在喝奶时间去铁丝妈妈身上，其余时间都在布妈妈身上待着。但布妈妈永远替代不了母猴，小猴子长大后仍然有不同程度的行为偏差。实验最后得出的结论是，只提供食物并不能和孩子建立母爱关系，建立母爱还需要抚摸和拥抱。

孩子在成长的过程中，需要的不只是物质，更需要父母高质量的陪伴。很多父母整日忙于工作或应酬，没有时间陪伴孩子。即使和孩子在一起，也常常是举着手机，对孩子缺少关心。没有了父母高质量的陪伴，很多孩子要不待在托管机构，要不就只能与电视机、游戏机、手机相伴，而这些都是生活中的“铁丝妈妈”，它们能帮助孩子打发时间，但是给予不了孩子关爱。

但很多家长有自己的苦衷。他们天天在外面辛苦挣钱是为了给孩子创造一个好的生活环境。当他们下班回家后，就希望能够放松一下精神，没有更多的精力再去陪伴孩子。但如果没有父母的陪伴，孩子只能孤单成长，这必然会对孩子的性格造成影响，那辛苦挣钱的意义又何在？相比较物质而言，孩子们更需要的是高质量的陪伴。父母不陪伴孩子，孩子的内心就会缺乏安全感，而安全感是一个人心理健康的基础。一个没有心理安全感的孩子，会用一生的时间来寻找安全感，成长一定会受到阻碍。

因而，父母无论有多忙，都应该平衡好工作与生活的关系，推掉各种没必要的应酬，放下手机，和孩子做做游戏、参加一些户外运动，关注一下孩子的成绩，和孩子聊聊天……在孩子成长的“有效期”内给予他们高质量的陪伴，陪伴不重在时间的长短，重在是否用心。

老人替代不了父母

一次，我和几位朋友聊天，在聊到孩子的教育时，其中两位朋友都谈到自己以前忙于工作，老人带孩子弊端比较多，现在想来有些后悔。

其中一位妈妈说，她前几年开了一家公司，忙于应酬，女儿主要由老人来带。三年后，公司是有了一些起色，但是她发现老人带孩子在课余时间居家较多，女儿身边没有什么朋友，因而常常独来独往，不善与人沟通，缺少同龄孩子的活泼开朗。老人每天倒是给孩子辅导功课，但是孩子不太听老人的话，成绩也不理想。

另一位朋友也谈到，儿子上小学时，因为她回家较晚，每天由老人接回家。因为有老人看护孩子，她特别放心。后来，她发现儿子每天写完作业后就玩手机，老人管他，但是孩子不听。而且老人身体不是很好，她不好意思让老人总带孩子下楼，时间久了，孩子变得特别不爱出门，视力下降非常快，个子也比同龄孩子矮很多。现在她儿子上中学了，有些逆反，想让他出门活动一下都特别难，视力下降也更快了。她想，如果当初多抽出一些时间来陪伴孩子参加户外活动，帮助孩子养成运动的好习惯，孩子的视力和身高情况都会好很多。

两位朋友都很后悔，因为自己忙于工作，在孩子成长的关键期把孩子推给了老人，对孩子的陪伴较少，现在孩子的很多方面都定型了，再想改变很困难。时间永远不可能回头，错过了就是错过了。

虽然老人特别爱孩子，但隔代教育对孩子的发展会产生一些不良影响，因为老人在很多方面是不能替代父母的。老人对孩子的照顾大多更加细致、周全，这会导致孩子的自理能力比较弱；老人由于年龄大了，大部分时间都居家，因此即便带孩子外出也比较谨慎，容易造成孩子体育锻炼不足；老人缺少年轻父母的活力，很少会带着孩子参加户外的集体活动，这会导致孩子与外界接触少，视野狭小，与人交往能力差；孩子天天与老人生活在一起，耳濡目染，也容易使得思维和心理老化……更何况随着时代的发展，教育理念和知识都在不断更新，让老人教育孩子，从长远来看不利于孩子的身心发展。孩子的成长只有一次，为了孩子各方面的长远发展，年轻的父母们应该尽可能抽出时间来陪伴孩子。

在陪伴中给予孩子精神上的引领

高质量的陪伴不一定体现在轰轰烈烈的大事上，它就藏在生活方方面面的小事中。和孩子一起共进晚餐，让他沉浸在家庭的温暖中；和孩子一起阅读，感悟故事背后的意义；陪孩子一起去旅游，让他认识世界；和孩子一起看新闻，交流对时事的看法……父母在这些点滴的陪伴中，用自己的思想引领孩子的精神世界，让他们逐步形成积极向上的人生观和世界观。

所以有些家庭即便经济上并不宽裕，但父母自力更生，面对困难从容乐观，在这种处世态度的影响下，孩子也拥有阳光积极的心态。

孩子在成长的路上总会遇到很多挫折，由于年龄小，遇事少，缺乏经验，所以难免慌张、迷茫，父母要能够在关键时候给孩子指出正确的方向，并且给予精神上的支持。翔翔在中考时数学没有考好，非常沮丧，我回到家听到这个消息后非常着急，正不知道该说些什么时，翔爸进门了。翔爸得知他数学考试发挥得不太好时，笑着说道："没什么，数学就是这样，有时思路卡在那里，想不出来很正常。考完就过去了，不去想它，静心为后面的科目考试做准备最重要。"听了翔爸的话后，我也马上顺着说道："对，对，考完就不想了。"就这样，翔翔在我们俩的开导下，开始踏实准备第二天的考试了。中考成绩出来后，孩子虽然数学的成绩不太理想，但是其他科目都发挥正常，因而总成绩没有受到太大影响。

孩子在成长中一定会遇到很多想不到的困难，有些甚至是孩子人生的重要转折点。这些坎坷处理好了，会成为人生的宝贵财富。如果处理不好，甚至会葬送孩子的前程。作为父母，要能够在孩子迷茫、困苦的时候给予积极有效的引导。父母的引导，一定离不开平时对孩子的关心和了解作基础，也离不开父母不断增长的人生阅历和智慧作助力。

心理学家戴维·埃尔金德曾说过：“孩子们最需要知道的是，他们对父母很重要，永远都被爱围绕。”父母对孩子高质量的陪伴，是孩子安全的港湾、自信的源泉、成长的根基。

②

让内向的孩子绽放光芒

内向孩子的内心世界非常精彩，家长要因势利导，让他们努力做最出色的自己。

在生活中，人们常常更喜欢性格外向的孩子，因为他们活泼开朗、善于沟通，而对于性格内向的孩子则不太愿意接纳。其实，内向的孩子有其自己的优势，作为父母，要用心挖掘，因势利导，让内向的孩子绽放出自己独有的光芒。

内向的人更加专注

我们楼里有一对兄妹，哥哥叫墨墨，妹妹叫妍妍，他们俩的性格完全不同。哥哥性格内向，不爱说话，而妹妹则性格外向，叽叽喳喳说个不停。妍妍每天一下楼，见到人就打招呼，邻居们都很喜欢她。墨墨则比较腼腆，常常独来独往，很少受到他人的关注。

有一年社区组织了春节游艺会，兄妹俩都参加了。我特意留心观察了一下，只见哥哥特别认真地猜着灯谜，而妹妹则东跑西跳。他们的妈妈说，相比较而言哥哥做事情更加专注踏实，做事的质量也比较高。

心理学家荣格认为：外向型性格的人，热衷关注外部世界的人和事；而内向型性格的人，倾向于关注自己的内心世界。内向性格的人因为对外界关注得少，受到外界的影响也相对更小，因此更容易关注自己的内心，进行深度思考，集中精力做好事情。世界上很多杰出人物都是性格内向的人，如贝多芬、爱因斯坦……正因为他们能够专注于自己潜心研究的工作，不被身边的其他事情所打扰，才能够在自己的领域取得辉煌的成就。

内向的人能很好地适应社会

很多家长都担心性格内向的孩子与人交往能力差，不能够更好地适应社会。其实，性格内向的人反而更容易融入集体，得到大家的认可。

一次，我看墨墨带着中队干部标志，不禁向墨墨妈妈夸赞起她儿子。墨墨妈妈向我介绍到，墨墨在学校的工作是管理班里的电脑和打扫卫生，老师说墨墨工作非常用心，每天到学校后第一件事情就是主动把电脑打开，然后给同学们做卫生，放学时按时关好电脑。墨墨虽然话不多，但认真的工作态度被老师和同学们充分认可，所以被同学们推选为中队干部。

研究发现，世界上70%以上的成功者其实是性格内向的人。比尔·盖茨曾说过：“内向的人可以做得很好。如果你很聪明，你可以学会从内向中获益……用几天来思考一个棘手的问题，阅读一切你可以阅读的，推动自己非常努力地在那个领域的边缘思考……拥有一家靠深入思考而茁壮成长的公司。”性格内向的人一般为人谦逊、低调，更容易让身边的人接纳他们；善于倾听，能够很好地感受他人的想法，所做的决定也能够更好地融合大家的建议；一般自律性都很强，做得多，说得少，用实际行动赢得大家的信任，也用实际行动引领团队前进；更关注自己的内心世界，喜欢冷静思考，遇到困难能站在全局的角度做出决定……家长如果发现自己的孩子性格有些内向，千万不必担心焦虑，因为他们有着外向性格的人所不具备的优势，只要好好培养，一样可以很好地适应社会，成为团队中的佼佼者。

内向的人能够更细腻地感受友谊带来的快乐

我最近读了一本书叫《天真生活》，作者季羡林先生在书中说道：“我生性内向，懒于应对进退，怯于待人接物，但是，在八十多年的生命中，也有几个知己。”“我们直抒胸臆，尽兴而谈。自以为人生幸福，莫大于此。我们的友谊之所以历久不衰，而且与时俱进……”从这些话语中，我们可以感受到季老的朋友虽然不多，但都是莫逆之交，季老非常珍惜与他们的友情。

朋友的数量与质量之间从来不能画等号。性格内向的人不善言辞，但并不妨碍友谊的发展。他们在与人交往中更善于倾听，他们的细致和敏感可以让他们更好地感受朋友的快乐和痛苦，与伙伴共情，因而与朋友间的友谊常常更加深厚。

家长要学会接纳和欣赏内向的孩子

孩子的性格受先天的因素影响更大，后天能够改善的余地并不大。很多父母总想通过一些方式改变孩子的性格，甚至会说“太腼腆”“能不能外向点儿”之类的话，这些话会让孩子有压力，觉得父母不喜欢他，对于自己性格的发展感到茫然，从而变得自卑，这并不利于孩子的心理健康成长。

对于内向的孩子，父母要先学会接纳，然后是鼓励和欣赏。当孩子在公众场合显得比较拘谨时，请多给他们一些陪伴，让他们逐步适应这个环境；当孩子遇到困难不敢开口说出时，请多给他们一些温和的态度和时间，让他们慢慢说出；当孩子交到一个好朋友时，请多给他们鼓励；当孩子一个人安静做事时，请减少对他们没必要的打扰……父母的接纳、鼓励和欣赏可以让孩子把优势发扬到最大，内心充满自信和力量。

内向的孩子相对于外向的孩子来说不太善于表达，内心的苦闷也会排解得慢一些。当他们有了烦恼时，就要依靠自己内心积蓄的力量去抗衡，而这种力量的雏形就源自父母对他们的鼓励和欣赏。

内向的孩子是一匹不太显眼的“千里马”，作为父母，要做好伯乐，悉心调教，让“千里马”在人生的道路上一展宏图。

家有“霸道”小孩不必急

人之初，性本善。孩子出生时就如同一张白纸，在成长的过程中很多孩子养成了“霸道”的坏习惯，霸道也是一种不会与人交往的表现。

心理学家和动物学家做过一项有趣的对比实验：在两间墙壁上镶嵌着许多镜子的房间里，各放进一只猩猩。一只猩猩性情温和，它进了房间后，看到了很多跟它一样的“同伴”，很快就跟“群体”一起奔跑嬉戏，三天后被牵出房间时还恋恋不舍。而另一只猩猩脾气暴躁，它一进房间就被“同类”龇牙咧嘴的样子给激怒了，于是开始了无休止的追逐和厮打。三天后它被拖出房间时，已经因为心力交瘁而死。什么样的态度决定什么样的结果，心理学上把这称为“态度效应”。

很多孩子在与他人相处时，表现出霸道的行为，他们是想用霸道让别人屈服于自己。其实，这也是一种不会与人交往的表现。他们越是对别人霸道，别人就越是不愿意跟他们亲近，他们也就越希望通过霸道来解决问题，逐步形成恶性循环。所以父母如果发现孩子有霸道的苗头，一定要尽快纠正。只有让孩子学会与他人友好相处，才能让孩子交到朋友，融入集体，而不至于因为霸道反而被孤立。

避免过度娇惯

我有一位远房的亲戚，结婚多年没有孩子，后来在年龄比较大时生下爱女珍珍，小珍珍是夫妻俩的掌上明珠，外加身体不是很好，因而在家非常受娇宠。渐渐地，珍珍养成了蛮横、霸道的坏习惯。有一年春节，外面下雪，珍珍想吃巧克力，爸爸说等明天雪停了去买，珍珍哭闹着不答应，爸爸心疼珍珍，怕她把嗓子哭哑，就冒着大雪去给珍珍买。

到了爷爷奶奶家，珍珍更是趾高气扬，训斥起爷爷来一套一套的。每当珍珍数落爷爷的时候，家人还笑着说珍珍的小嘴真厉害，以后到社会上肯定不吃亏。但事实是，珍珍出门很腼腆，与人交往非常被动，而且总受人欺负，她妈妈常常说珍珍是“窝里横，出门辰”。

造成孩子“窝里横，出门辰”这种现象的主要原因是家长对孩子过度溺爱、娇惯。珍珍在家很受宠，而且哭闹是她的不二法宝，只要一哭闹，全家人立刻缴械投降。珍珍在家里数落爷爷，不光没有受到批评，反而受到了表扬。家人的娇惯、无条件的让步，造成了珍珍以自我为中心。走出家门后，珍珍在与别的小朋友玩耍的时候遇到问题，还是用哭闹的方式来解决，其结果是伙伴们都瞧不起她，也没有人会因为她的哭闹而让着她。因而，和伙伴在一起时珍珍不知如何处理矛盾和问题，从而产生回避心理。在班集体中，珍珍更是“乖”，因为集体的规则要求很多，而且只要违反了就会受到老师的批评和同学的指责。有时，珍珍在外面受了委屈，回到家里想发泄一下自己压抑的情绪，以平衡一下自己的委屈心理，就更加蛮横了。

因此，问题的根源还是家长的教育方式，家长不能对孩子太过娇惯，对于孩子不合理的要求和不正确的行为要坚决说“不”，千万不能因为孩子发脾气了就迁就他，让孩子错误地认为可以通过发脾气来牵制父母，认为发脾气是解决问题的方式。同时，家长还要引导孩子遇事学会控制情绪，当孩子情绪失控时，可以让他先冷静一下，把情绪控制好了再来解决问题。只有家长做到不溺爱，不无原则地妥协，引导孩子控制好情绪，孩子才能逐步改掉在家蛮横的坏习惯。光解决“窝里横”还是不够的，还要做到出门“不尿”。家长平时要多问问孩子在学校与同学相处的情况。当孩子遇到交往的问题时，家长可以给孩子出出主意，然后鼓励他独立解决问题。只有在“家里横”和“出门尿”两个方面双管齐下，才能引导孩子逐步成为一个受大家欢迎的人。

家长不做暴力的示范者和促进者

孩子的暴力表现还折射了其他一些家庭教育问题。

我认识两个小孩，一个叫小力，一个叫阿景，他们俩都爱打人，但背后的原因不太一样。

小力长得虎头虎脑，在学校与同学稍有矛盾就大打出手，武力解决。每次小力打了伙伴后，小力爸爸都真诚地给对方家长和老师道歉，并且表示回去后一定好好收拾孩子。第二天小力总是青一块紫一块地回到学校，但也就收敛了几天，就又开始打同学。面对孩子的“屡教不改”，小力爸爸百思不得其解，不知道应该如何管教。其实，小力的问题就出在了爸爸的教育方式上，当小力犯错误时，爸爸嘴上说不让他打人，但他自己通过打骂使小力屈服，给孩子做了一个不好的示范，孩子也就用这种简单粗暴的方式解决与同学之间的矛盾。而且，像小力这样的孩子还有一个共同的特点，就是在家里因为怕被家长打，所以装得乖乖的，离开家长的视线就跟换了一个人似的，变得粗暴霸道。

阿景三年级了，长得高高壮壮，挺精神的，脸上总有一种不服气的神情。阿景生活在单亲家庭，妈妈一个人带着他非常不容易。妈妈生怕阿景在外面受委屈，因而告诉阿景，只要有人欺负他，他就打回去，不能吃亏。所以阿景在与伙伴玩的时候，稍有不满就打人。很多被打的小朋友家长向阿景妈妈反映情况，妈妈和儿子沟通时，阿景就把所有的责任推卸给对方，表现得很委屈。

妈妈听后，也觉得阿景打人是有原因的。可见，缺乏安全感、不能吃亏是阿景打人的心理原因。同时，阿景妈妈教育儿子不能吃亏，变相支持阿景打人所产生的负面影响也不容忽视。

孩子从小就与父母朝夕相处，在他们心中父母具有权威地位，父母对他们的影响也是最久最深刻的。在家长不正确的引导下，小力和阿景两个孩子都认为解决问题靠的就是拳头，打人是解决问题的“有效”方式。孩子一旦通过打人的方式达到了自己的目的，就会反复使用这种方法。

想让孩子改变，父母自己要先开始改变。父母绝不能用打的方式来教育孩子，给孩子做不好的示范，更不能变相支持孩子打人，而是要以身作则、言传身教，教孩子正确处理伙伴间的不愉快，学会与人交往的正确方式。如果孩子打了其他小朋友，父母应该在第一时间告诉自己的孩子打人这种行为是不对的，让孩子去道歉，承担起相应的责任。事后，引导孩子想一想今后再遇到类似的情况应该怎样解决。在父母正确的引导下，孩子才能遇事克制情绪，用正确的方式处理伙伴间的各种小矛盾，积累解决问题的经验，改掉打人的坏习惯，学会与伙伴友好相处。

放下优越感，与伙伴平等相处

与男孩子的暴力不同，有些女孩子会表现出另外一种霸道而被伙伴反感。

有些女生长得很漂亮，家庭条件也很好，父母抱着富养的心态，给她们买一些昂贵的玩具和衣服。因为总被伙伴称赞和羡慕，所以她们慢慢有了优越感，对身边的姐妹态度高傲，摆出一副看不起人的样子。渐渐地，她们身边没有了伙伴。

也有一些女生学习好，班级工作做得很出色，常常协助老师对班级进行管理，老师总是在班里称赞她们聪明能干。时间一长，她们就有些骄傲了，对身边的同学总是趾高气扬，常用命令的口吻和他们说话。她们高人一等的态度使得同学们非常反感，所以她们常常在新学期新一轮小干部改选时落选。而她们还不明白，自己学习成绩那么优秀，为班级做了那么多重要的工作，怎么会落选了呢？

家庭条件好，学习、工作能力强，本来是优势，但如果把优势转化为优越感，觉得自己高人一等，就会让人非常反感。因此，家长如果发现孩子有了优越感，一定要及时引导，让孩子认识到真正优秀的人要抱着平和、谦卑的心态与他人相处。只有真心友善地对待身边的人，才能够得到别人真诚的回馈。

霸道这种行为的背后，一定有孩子自身的原因，但家长也有不可推卸的教育责任。父母要找准原因，对症解决，才能收到较好的效果。同时，霸道的坏习惯不是一朝一夕形成的，改变也不是短时间内可以实现的，因此需要父母持之以恒地帮助提升孩子与人相处的能力。

让孩子学会分享

人们常说“有福同享，有难同当”“送人玫瑰，手留余香”，从这些话中我们能够感受到分享的价值。分享是一种博爱的心境，更是一种能力。

前几天，我和几位邻居在小区里聊天，我们一边聊一边看着几个小朋友玩耍。这时，一个小女孩主动拿出自己的玩具与小伙伴分享，这个过程正好被其中一位邻居看到了，她羡慕地对这个女孩的妈妈说道：“你家宝贝真大方，能主动分享她的玩具，我家孩子可不行，是个十足的小气鬼。”她说完后，我们都纷纷称赞这个小女孩确实懂事、大方。

会分享的孩子身边有更多的伙伴，能够更好地感受到伙伴间的关爱，也更加容易培养交往能力和乐观开朗的性格。但孩子分享的能力不是与生俱来的，需要父母用心引导和培养。

尊重孩子，不强迫分享

翔翔上幼儿园时常与同楼的伙伴阔阔一起玩，每次我们去阔阔家里玩，阔阔总借给翔翔一件玩具拿回去玩，翔翔也很爱惜，每次都是玩了两天就给阔阔送还回去。一次，阔阔妈妈带着阔阔来我家里玩，阔阔看上了翔翔的一辆小汽车，走的时候恋恋不舍，我对翔翔说："你让阔阔把小汽车带回去玩两天吧！"翔翔哭丧着脸说道："不可以，这是我新买的，我还想自己玩呢。"听了孩子的话，当着阔阔妈妈的面，我有点儿不好意思。这时阔阔起身要走了，我又说道："翔翔，把小汽车借阔阔玩两天，还回来后你再接着玩。"说完，就把汽车塞给了阔阔。等阔阔和妈妈出门后，翔翔在家里大哭大闹，说自己根本不想借，以后再也不想和阔阔做朋友了。

阔阔是自愿把玩具借给翔翔的，而翔翔是被我强迫着把玩具借给阔阔的。阔阔的行为是分享，而翔翔的并不是。真正的分享应该是物品主人主动发出的，我在没有征得翔翔同意的前提下把玩具借给阔阔，这种做法不会让孩子感受到分享的价值和快乐，只会让他以后更加"小气"。

后来，阔阔妈妈与我分享了她平时引导孩子的方法。她认为，孩子在成长的过程中，会逐步建立起"物权意识"，这对孩子来说非常重要，它能让孩子尊重别人的物品，同时维护自己的权利。有些孩子物权意识很强，家长不要在孩子尚未准备好时，就强迫他进行分享，家长的强迫只会让孩子对分享产生逆反心理，不会感受到分享的快乐。正确的做法是，如果孩子不愿意分享，家长可以等小伙伴走后，耐心给孩子做思想工作，让孩子认识到分享可以让自己和他人同时享受到更多的玩具，还可以进一步加深自己和伙伴的友谊，这就是分享的意义。只有孩子自己想明白了，从心底里愿意把玩具借给伙伴，才是真正的分享，他才能够感受到分享带来的快乐。

阔阔妈妈的经验也让我认识到，分享是儿童的一种社会交往能力，学会分享是孩子成长过程中的一座里程碑，需要父母用心培养。

分享从心中有他人开始

一次，我去堂弟家里玩，去的路上我买了一些草莓。到了堂弟家后，奶奶把草莓洗好，阿亮就迫不及待地把草莓拿去吃。堂弟马上说道："阿亮给爷爷奶奶留一些。"阿亮象征性地给了奶奶一颗，然后一边吃草莓一边说："本来就不多。"在一旁的爷爷说道："阿亮吃吧，爷爷不吃。等阿亮长大了再给大家买，好吗？"阿亮笑着点点头，继续吃草莓。但堂弟还是坚持说道："好东西要与家人分享。"听了爸爸的话，阿亮不好意思地给大家留了一些草莓，爸爸妈妈立刻表扬了阿亮。

从阿亮“本来就不多”这句话可以看出，阿亮一开始没打算与家人分享草莓，爷爷的那句“爷爷不吃，等阿亮长大了再给大家买”更加重了阿亮独自享用的心理。很多家长和阿亮爷爷有着同样的想法，认为只要现在对孩子好，孩子长大了自然就会孝顺长辈，现在的付出都会在今后得到回报。可细想一下，如果孩子养成了吃独食的习惯，等他长大了，他就会惦记着长辈吗？还真是未必。孩子只有从小在心里种下了分享的种子，让这粒种子生根发芽，长大后才会把好的东西分享给他人。因而，堂弟才坚持说“好东西要与家人分享”，从阿亮后来的行动中可以看出他接受了爸爸的建议，增强了分享意识。当爸爸妈妈看到阿亮把草莓分享给大家后，马上表扬了儿子，这对孩子来说则是一种积极的强化。

分享意识要从小培养。当家里有好吃的东西时，家长要引导孩子给家里的每个人都留一份。当孩子主动分享东西给长辈时，长辈也应该开心接受，并且对孩子的行为给予感谢和肯定。在“家人想着我，我也想着家人”这样的家庭氛围中，孩子潜移默化地就学会了分享。

认识分享的价值，感受分享的快乐

在翔翔上小学时，我有幸参加了学校的一个半日教学开放活动。课间，我站在教室的一个角落里等待听下一节课。

学校为了丰富孩子们的课间活动，给每个班级都准备了一些玩具，其中有一款玩具叫“钢珠走迷宫”，很受孩子们的欢迎。刚一打下课铃，就看到他们班里的一位大个子男生冲上前去，一把拿起玩具。但他刚拿到手，另一位小个子男生也冲了上来，一看玩具已经被大个子抢走了，就气冲冲地喊道：“每次都是你先玩，这次应该先给我玩了。”大个子不示弱地说道：“我先拿到的。”两个孩子开始争执起来，这时周围陆续聚上来几个孩子。老师看到这个情形后，没有马上制止，而是对他们俩说：“你们看，课间只有十分钟，争执多浪费时间，这样谁也玩不了，应该怎么办呢？”他们俩互相看了看，一时间不知道该怎样办。这时，小个子说道：“咱们每人玩一局，结束了就让给对方，你先拿到的，你先玩。”听小个子这么一说，大个子反而不好意思了，说道：“我仗着个子大，每次都先抢着玩，这次先给你玩吧。”两人互相谦让了一会儿，然后高高兴兴地玩起了玩具。没一会儿，上课了，他们俩约好下一个课间接着玩。

看了这个课间小插曲后，我真心佩服班主任老师的教育智慧。小孩子不懂得谦让是难免的，老师看到后，把“争执一点儿用都没有，这件事应该怎样解决”这个问题抛给孩子，让孩子们自己认识到，要想让彼此都受益，应该学会分享，让玩具得到最大限度的利用。同样，家长如果看到孩子们争抢玩具，也可以用这样的方法来引导，把“争执没用，怎么办”这个问题抛给孩子，让孩子们尝试自己思考和提出解决的方案。如果孩子没有想出办法，家长再给予引导。在这个过程中，孩子们感受到分享的价值和快乐，自发地学会了分享，也提高了交往和解决问题的能力。

分享可以让孩子走出自我的小圈子，融入集体的大圈子，提升交往能力。引导孩子感受到分享的价值，从而学会分享，让今后的人生之路更加顺畅和多彩。

培养孩子的自信心

信心是人走向成功的第一要素。一个人只有拥有了自信，才能勇于接受挑战，逐步走向成功，让自己的人生更加精彩。

威廉·詹姆斯说："人类本质中最殷切的要求是渴望被肯定。"自信是一个人成长的重要品质，它会对人的行为和心理产生积极的影响。那么在家庭教育中应该怎样培养孩子的自信心呢？

父母尊重并认可孩子，搭建自信的坚实"地基"

对孩子来说，父母是他们的第一任老师，对他们的影响是最深远的。父母的尊重和认可，永远是孩子自信这座大厦的坚实地基。

在我小的时候，邻居家里有两个男孩，老大以前随奶奶一起生活在乡下，老二和妈妈一直生活在城里，老大快要上小学时才被接了回来。妈妈总是在人前人后夸赞老二，贬低老大。渐渐地，两个孩子的性格有了明显差异，老大总低着头，唯唯诺诺，缺乏自信，老二则活泼开朗，自信满满。

两个孩子长期受到父母不同的评价，性格就会出现较大的差异。每个人都很在意自己的尊严，孩子也一样。父母不能把孩子当成自己的附属品，随便打骂，更不能当着他人的面贬低孩子，让孩子觉得无地自容，这些不正确的教育方式会一点点剥蚀孩子的自尊与自信。

教育家蒙台梭利说过，一旦孩子内心有了自卑感，孩子的生活里就会充满冲突。而随之出现的胆怯、退缩等不良行为，则会与孩子形影不离。缺乏自信的人做事常常消极被动，甚至还没开始做心里就已经打退堂鼓了。如果孩子已经有了自卑、遇事退缩等心理现象，作为家长就要反思一下自己平时是否对孩子挑剔、指责得太多，从而导致孩子的自信心不足。家长在平时的教育中要尊重孩子，多发现并肯定孩子的闪光点。在认可孩子时，家长应该更多地肯定他们后天的努力，让孩子相信自己可以做得更好，有不断前行的动力。

除了父母的关爱、尊重和认可，对孩子自信的提升还需要一些科学的方法，让孩子在点滴的成功中逐步建立起自信。

跳一跳，够得着。

翔翔的伙伴康康上小学后数学口算一直不是很好，康康妈妈一开始很着急，总是批评儿子写题速度慢，错误率高。后来，她发现自己的着急、焦虑会传递给孩子，让孩子产生压力，而她的指责更加重了孩子的抵触情绪，让康康对口算失去信心，这种情绪还影响到孩子数学其他内容的学习。

于是，康康妈妈改变了教育方式，采用“跳一跳，够得着”的方法来帮助儿子练习口算，建立康康学好数学的信心。老师要求5分钟做50道题，康康平时就只能做完二十多道，于是妈妈和康康商量着每天练习两次，第一周做到5分钟完成30道题，康康觉得难度不大，只要努力就能完成。果然，第一周的目标顺利达成了。康康特别高兴，有了一点儿成就感。接着妈妈提出第二周和第三周的目标是5分钟完成35道题，有了第一周的顺利通过，康康在练习口算上有了一点儿信心，第三周还没有结束，康康就达到了目标。就这样，在妈妈的引导下，康康每隔几周就完成一个小目标，口算能力逐步提升，在学期末的时候就能和同学们一样5分钟完成50道口算题了。

康康妈妈采用的“跳一跳，够得着”的方法是有理论依据的，苏联心理学家维果茨基提出的“最近发展区”的概念，就是把大目标分成几个阶段性的小目标，阶段性目标不要太难，孩子稍作努力就可以达到，通过每个阶段的提升最终实现大目标。在整个练习的过程中让孩子自己和自己比，拾级而上，循序渐进。孩子每战胜一次困难，实现一个目标，这种成功感就会让他的自信增长几分，为他今后能够有信心挑战更大的困难奠定基础。

给孩子搭设展示的舞台。

翔翔上小学时学了一段时间的萨克斯，初学一个多月后，会吹几首小曲子，但与其他伙伴相比吹得不够好，他也没有什么信心。有一次，我劝他把萨克斯拿到奶奶家给大家表演一下，他腼腆地摇了摇头。在我的再三劝导下，他才勉强同意。在去奶奶家之前，翔翔认真地练习了两首曲子。在给爷爷奶奶表演完后，翔翔受到了大家的一致称赞，这让他的信心倍增。在后续学习萨克斯的过程中，我尽量给他创设一些展示的机会。翔翔在每一次展示前都认真练习，展示后观众的掌声和同伴的赞赏，让他为自己的进步感到骄傲。后来，翔翔还随学校的管乐队参加了一些演出和比赛，都取得了不错的成绩。

小小的展示舞台对孩子自信的建立和一些良好品质的培养有着积极的促进作用。为了展示能取得好的效果，孩子会付出辛苦的努力，这个过程也培养了他们吃苦耐劳的精神；当众展示自己的才艺，也是对孩子心理素质的锻炼；展示后来自大家的认可，会让孩子更加有成就感……展示的舞台多种多样，可以是各种有形的舞台，供孩子演出，也可以是无形的舞台，如学校的墙报、光荣榜、科技角等地方。有展示经验的孩子，长大后身处更大的舞台和公开场合也不会怯场、惊慌，能够从容应对。因此，家长可以为孩子创设一些展示的机会，开阔孩子眼界的同时，促进孩子自信的提升。

抓住孩子成长的关键点，铸就自信的“钢筋铁骨”

如果说父母的尊重和认可是孩子自信这座大厦的坚实地基，那么成功一定是大厦的“钢筋铁骨”。孩子年龄小，很难有大的成功，因此自信就是在点滴的进步和成功中积累起来的。

每一个人的成长都是由一个个节点串联而成，它们非常重要，关系到孩子的人生走向。正是这些节点上的成功，铸就了孩子的自信。

我上中学时，很喜欢英语这门课，现在回想起来有几个重要的节点对我影响很大。第一个节点是我刚上初中时，我们家由山西迁到北京，当时我父母的工作还没有着落。那时，我非常想买一本英语词典，当爸爸得知我的这个想法后，从家里紧张的生活费中省出一笔钱，给我买了一本。我拿到这本词典时，真是万分感动，同时也产生了要学好英语的信念。第二个节点是我读初二时，老师推荐我去考奥林匹克英语学校，这所学校是利用周末时间上课，主要是面向一些英语特长生。我顺利通过了考试，这也让我有了一些成就感，进一步树立了学好英语的信心。第三个节点是我中考英语取得了所有科目中的最高分，在班里也是遥遥领先，受到了来自老师和家人的充分认可。这几个重要的节点，对我爱上英语，有信心学好英语起到了积极的促进作用。

每一个孩子自信的提升都源自一次次成功的正向激励。这些成功可能在我们看来不值一提，但正是这些小小的成功激发了孩子的热情和兴趣，成为孩子自信之路上的一座座“丰碑”，逐步铸造孩子“我能行”的信心内核。

失败也是对自信的锤炼

在生活中，有成功就会有失败。有些家长精心呵护孩子，生怕孩子受到失败的打击，其实孩子比我们想象的要坚强得多。没有经历过失败的自信是脆弱的，只有在失败的锤炼下，一个人的自信才能真正建立起来。

翔翔上初中时，很喜欢体育，在初一的运动会上他有好几个项目都取得了较好的成绩。但在初二的运动会上他发挥不好，擅长的那几项都没有进入决赛。翔翔很沮丧，但也就失落了两天，就把这件事情抛到脑后了。然而，在初三的运动会上，翔翔的100米短跑项目成绩还不如初二的时候，还把韧带给拉伤了，休养了很长一段时间，其间也不能参加体育锻炼。这一次失利对翔翔来说影响比较大，让他一度很消沉。我并没有给予他太多的安慰，而是买了一本书送给他，书里讲的都是奥运健儿们成长的故事，儿子通过阅读认识到，与奥运健儿相比，自己的这点儿小挫折并不算什么。

上了高中，翔翔对运动的热情一点儿也没有减少。他主动报名参加了区级运动会的短跑项目，赛前他常常在家附近公园的跑道上练习。在正式比赛那天，他只取得了小组第五的成绩，与决赛无缘。回到家后，还没等我安慰他，儿子就说道："这次参加比赛的很多选手都是体育特长生，我没有受过专业训练，能跑出这个成绩，已经很满意了！"

每次回忆起这些事情，我都欣慰于翔翔有良好的心态，没有被失败打倒，依然对他所热爱的体育运动充满兴趣和自信。我希望他永远能用这种积极的心态从容面对生活中的每一个坎坷。

失败并不可怕，可怕的是失败后丧失了自信，不能重新站起来。当孩子遇到挫折时，作为家长，要做好孩子的精神向导，让孩子认识到失败是成功之母，失败也是一种锻炼。孩子只有在成功与失败的交替中成长起来，内心才能够一步步走向成熟，这时建立起来的自信才是扎实的、经得起考验的，正是这种自信，让孩子能够有勇气依靠沉淀下来的宝贵经验为了更加美好的未来去搏击。

一位哲人说得好："谁拥有了自信，谁就成功了一半。"父母的尊重认可奠定了自信的基础，成功和失败浇筑锤炼了自信的筋骨。掌握自信秘密的钥匙，就等于为孩子打开了通往成功的大门。

培养孩子积极向上的人生态度

人生的路上有时一帆风顺，有时也布满荆棘。孩子只有拥有了积极向上的人生态度，才能更好应对生活中的坎坷。看到人生中不同时期的风景，做生活中的强者。

人生的旅途中既有机遇，也有困境。有的人能够用积极的心态来面对，抓住机遇，挑战困难，看到的永远是希望。但也有的人，机遇出现在面前却选择退缩，困难也常常大得难以逾越，因而与成功擦肩而过。

调整心态，多以积极的态度面对

丰子恺曾说：“你若爱，生活哪里都可爱。你若恨，生活哪里都可恨。你若感恩，处处可感恩。你若成长，事事可成长。不是世界选择了你，是你选择了这个世界。”我们在生活中拥有怎样的心态，就会面对一个怎样的世界。

一次意外中，跃跃骨折了，他只在家休息了一周，就打着石膏去上学了。老师问跃跃："你怎么不在家多休息几天？"跃跃说："我喜欢上学，上课听讲学习，课间可以和同学们聊天，特别有意思。"同学们看到跃跃打着石膏做很多事情都不太方便，就主动来帮助他。因此，跃跃的身边又多了几位好朋友，每天都很开心。因为跃跃是右臂骨折，写不了字，他就每天在学校专心听讲，积极发言，把需要背诵、识记的内容标注好，并在痊愈后把需要写的内容补上了。

孩子骨折对一个家庭来说确实是一件糟糕的事情。但是，跃跃和妈妈很快就从消极的情绪中调整过来，跃跃也克服各种困难，坚持去学校上学，学习的自觉性反而比以前增强了。充实的校园生活弱化了骨折带来的痛苦，同时锻炼出跃跃坚强的心性。

同样是面对孩子骨折这种事，有的家长心态就比较消极，妈妈埋怨爸爸没有看护好孩子，爸爸指责妈妈对孩子不上心，孩子的骨折使得家庭氛围特别紧张，这并不利于事情朝着好的方向得到解决。为了让孩子得到更好的休养，父母甚至暂时不让孩子上学了，由老人在家看护。但是当孩子经过几个月的休息后返校时，才发现落下了很多功课，于是新的家庭矛盾又产生了，这就是消极应对的连锁反应。

"不是世界选择了你，是你选择了这个世界。"我们在生活中总会遇到很多不顺心的事情，至于事情会朝着哪个方向发展，常取决于我们对待它的态度。孩子年龄小，还没有形成自己的思维方式，因此对待事情的态度和思考方式受家长的影响很深。面对生活中的各种困境，作为家长首先应该尽快调整，以自己积极的心态来影响孩子，和孩子一起面对困难，想办法把问题产生的不良影响降到最低，甚至用智慧把不利因素转化为培养孩子良好心理素质的契机。在家长的影响下，孩子会学习用积极、发展的心态来看待眼前的困难。

面对失败，多从改进的角度思考

有一次，翔翔没有考好，回到家里把卷子拿给我，我看了看，皱着眉头问："为什么这次成绩不太理想呢？"翔翔指着卷子上的错题说道："您看，这道题是我计算错了，这道题是我没有读懂题意，这道题是……"听了翔翔的分析，我明白了他这次考试虽然有粗心马虎的成分，但主要问题还是知识掌握得不扎实。我没有批评孩子，反而鼓励他："你都能自己分析出问题产生的原因了，说明你自我分析问题的能力提升了不少，咱们针对错题每天晚上再做点儿类似的练习，把知识再巩固一下，相信你的成绩一定会提升的。"翔翔看我不但没有批评他，反而说他分析问题的能力提升了，心里的紧张一下子缓解了不少。接下来的日子里，我每天给孩子挑选一些题来练习，下一个单元的考试成绩果然提升了。

有些家长认为，孩子犯了错，就应该狠狠地批评指责，这样孩子才能够从中吸取教训。事实上，人在感觉糟糕时，受情绪的影响，无法做好任何事。而且孩子沉浸在沮丧的情绪中不能自拔，会错过转变的契机。

托·富勒曾说："逆风的方向，更适合飞翔。"面对问题，家长应该用自己积极的思维方式来影响孩子，冷静地和孩子一起分析问题产生的原因，制定改进方案。鼓励孩子把当下当成前行的起点，让事态朝着好的方向发展。只有当感觉良好时，学习才是有效率的。在家长积极的思维方式的引导下，孩子会在遇到问题时主动排除不良情绪的干扰，逐步形成积极主动的思维方式。

遇到机遇，多一分挑战的勇气

哲人罗兰曾说："最强的对手，不一定是别人，而可能是我们自己；在征服世界之前，先得战胜自己。"机遇常常一闪而过，不会再来，因此在机遇面前，我们应该少一分犹豫不决，多一分挑战的勇气。有时我们并不能掌控成功与失败，只要积极争取了，便不会后悔。

有一年，涵涵竞选班干部。在表妹的鼓励下，她在家精心准备了发言稿。但是，第二天在竞选会上，涵涵特别担心自己会说不好，害怕落选。竞选稿都被她给攥烂了，她也没敢上台读。就这样，涵涵错过了这次竞选的机会。竞选结果出来后，涵涵发现很多平时表现不如自己的同学都被选上了，她非常后悔自己没有勇敢地迈出这一步。表妹并没有批评她，而是告诉女儿，能不能被选上并没有关系，但是要学会勇于突破、挑战自己，并鼓励她明年继续争取。

第二年，涵涵勇敢地再次参加了班干部的竞选，虽然没有被选上，但是这一次涵涵为自己的表现感到骄傲，表示明年还愿意继续努力争取一下。

表妹特别了解涵涵的性格，其实能不能选上并不重要，她就是希望女儿能突破自我，锻炼一下胆识，在参与的过程中获得的成长和感悟也将是女儿人生中的宝贵财富。作为父母，她还将继续激励女儿今后勇于抓住机遇，超越自我，不轻言放弃。

有些家长和孩子会觉得，成功了固然是好，但如果失败了，孩子特别失望、沮丧怎么办？其实，在机遇面前，成功和失败都是有可能的。如果失败了，家长也要告诉孩子把迎接机遇、接受挑战当成历练的契机，只要争取过了，努力过了，便没有了遗憾，丰富的体验也是人生的宝贵财富。

倾听孩子的声音，驱散孩子内心的阴霾

大部分青春期的孩子和父母之间都有一些隔阂，他们更加信

任身边的伙伴，愿意向他们倾诉。但是，对于心理问题比较严重的孩子，父母长时间不了解孩子的想法，不能及时给予疏导，是一件很危险的事情。

我上初中时有一位很要好的伙伴，她叫小戚。每天中午在校吃完饭后，小戚都会向我倾诉她内心的一些痛苦。其实都是她家里的各种小矛盾，只是由于父母的疏忽，这些矛盾没有得到及时梳理，让小戚后来走了一些弯路。

小戚有一个弟弟，妈妈对弟弟给予了更多的关注，对小戚则关心较少，使得小戚心理上有些失衡，感到非常无助和自卑。小戚家是一套两居室，原来是父母住一间卧室，姐弟俩住一间卧室。因为姐弟俩都大了，妈妈就安排弟弟住在小卧室，让小戚住在客厅，这让小戚对妈妈更加怨恨，但是她从不把这些想法告诉家人，只是默默地忍受着。爸爸对小戚的关心稍微多一点儿，有时会给她一些零花钱，但对小戚也是非常严厉，小戚有很多委屈和心里话也不敢和爸爸说。小戚常和我述说她内心的苦恼，我作为她的好友，能做的更多的是听她倾诉，给她一些宽慰，但这并不能解决小戚因家庭原因而产生压抑情绪这一根本问题。

初中毕业后，小戚没有考上高中，上了一所职业中学，班里一位高大帅气的男生很快就吸引了小戚的目光。小戚早恋了，她搬到了男孩家里去住。她天真地以为这样就可以摆脱原生家庭，过上自己想要的生活。但是没过多久，男孩就提出了要和她分手，她只好带着新的心理创伤回到父母家里，但这时她和父母的隔阂更深了。

青春期的孩子敏感而迷茫，父母要多关心孩子，多主动和孩子谈谈心。当孩子倾诉时，家长要多站在孩子的角度上思考问题，与孩子共情。共情不等于认同孩子的行为，但是共情可以让父母了解孩子的心理，及时给予引导。孩子通过倾诉宣泄了情绪，移除了堵在内心的一块块“石头”，心理得到疏通，就不会受到太多悲观情绪的影响。家长与孩子的沟通，可以让家长及时了解到孩子内心的真实想法，不至于等出了严重的问题，才发现自己对孩子有多不了解。同时，只有当家长与孩子的心在同一个频率上时，家长的话才有可能慢慢走入孩子的内心，发挥出积极的引导作用。

在人生的道路上，顺境和逆境常常是交错的。拥有积极的人生态度，会让人觉得路上处处是风景，走得坚定而充满希望。即使身处逆境，也能从不幸中看到幸福。这种积极向上的人生态度，是孩子一生的宝贵财富。

智慧培养孩子良好的性格

爱因斯坦曾说过："优秀的性格和钢铁般的意志，比智慧和博学更重要，智力的成熟，很大程度上是依靠性格的，这一点往往超出人们通常的认识。"足可以见性格培养的重要性，但是很多家长由于教育方法不正确，影响了孩子性格的发展。

所有的父母都希望自己的孩子拥有良好的性格。但事实上，有些家长总用自己固有的思维方式来教育孩子，如果方法不正确，就不利于孩子良好性格的塑造。那么在生活中，常见的性格培养问题有哪些，作为家长又应该如何改进呢?

问题1：不接纳孩子的现有性格，总想改变孩子的性格。

改进：接纳孩子的性格，并且因势利导。

表妹性格很爽朗，她女儿涵涵的性格则和她完全不同。涵涵有一些内向，不爱说话，见到生人非常腼腆，也不太喜欢和小朋友们一起玩耍。刚开始表妹很发愁，希望改变她的性格，但阅读了一些教育书籍后，表妹对女儿的性格进行了因势利导，取得了很好的效果。

在涵涵小的时候，表妹发现她爱画画，就给她报了一个美术班。在老师的指导下，涵涵的画画水平很有进步，好几幅作品参赛都获得了奖项。涵涵在美术班上还交了一位好朋友，两人在休息的时候总一起玩耍。涵涵喜欢静静地读书，表妹就给她买了很多课外书，并且晚上陪她一起读。表妹有时还和涵涵一起针对书里的故事进行探讨，引导涵涵深入思考，勇于表达自己的想法。涵涵上初中后，喜欢参观博物馆，她觉得每次参观都仿佛穿越时空，与古人进行思维碰撞，内心感到特别宁静和放松。表妹也非常支持女儿，每到假期，别人都去游山玩水，他们一家则流连于各个博物馆。

家长对孩子的尊重，要先从接纳他的性格入手，在接纳和认同的基础上发展孩子性格中的长处。涵涵爱静，喜欢画画和阅读，表妹就因势利导来培养。上中学后，涵涵喜欢参观博物馆，表妹就陪她一起去，让孩子在参观学习中增长知识，濡养性格。在妈妈的引导下，涵涵一直在做自己喜欢的事情，内心富足而快乐。在这个过程中，涵涵还交到了几位有着共同爱好的伙伴，锻炼了交往能力。通过表妹的积极引导，涵涵性格中的优势得以充分发挥，性格朝着积极的方向发展。

与表妹对女儿性格的因势利导不同，有些家长不接纳孩子的内向性格，总担心他们今后不能适应竞争激烈的社会，总想着把开朗、热情这些特征强加于自己孩子身上。因而，他们总带孩子去一些新环境，强迫孩子和陌生人打招呼……孩子到了新环境，见到不熟悉的人，反而变得更加胆怯拘谨，这也加剧了父母对他们的强迫和训斥，从而让孩子产生畏惧和厌倦的心理。有些内向的孩子也想尝试着改变自己，但不知道该如何改起，只能努力迎合他人，这让他们的内心又疲倦又矛盾，反而容易造成性格扭曲，不利于身心发展。

“顺木之天，以致其性。”要想让树木长得好，就要顺应树木的天性。性格没有好坏之分，纵观历史长河，每一种性格的人里都有很多成功人士。面对孩子性格中的一些特质，家长要因势利导，发挥孩子性格中的优势，让性格朝着积极的方向发展。

问题2：给孩子性格贴标签，增加负强化。

改进：从家长自身改进，加强正面引导。

有些家长对孩子的负面性格特征缺乏耐心，以批评为主，由于孩子年龄小，对自己很难有一个准确的判断，这时他人的评价，尤其是父母的评价在孩子心里具有重要地位，他们认为家长的评价就应该是自己的样子。“神经病”“太固执”“杵窝子”……家长这些有意无意的话，会让孩子在潜意识里认定自己就是家长描述的样子，然后不断强化这些特征，这反而背离了家长教育的初衷。

我的一位同事平时总在办公室里说，儿子小安脾气一上来，谁的话也听不进去，特别固执。一天，因为孩子放假没人看，她就把小安带到了单位，让孩子在办公室写作业，可孩子到了一个新环境总觉得特别新鲜，静不下心来，东瞧瞧、西看看。为此，我的同事很生气，开始数落孩子，小安不甘示弱地回敬了几句，两人就争吵了起来。就在这时，我来办公室拿东西，同事马上就对我说："你看，这孩子老毛病又犯了吧，总那么固执，什么话也听不进去了。"我看了一眼小安，只见他两眼圆瞪，两只小手紧紧地攥成了拳头，一副怒气冲天的样子。看到此情此景，我想现在安抚小安也不一定有效果。于是，我走过去，拉起小安的手说道："传达室张爷爷养的咪咪生了几只小猫，咱们一起去看看。"小安一开始还气呼呼地站在那里，我又哄了哄，就拉着他去看小猫了。小安逗了一会儿小猫后，情绪稳定了，并主动说要回去写作业，我就带他回去了。

其实，孩子的模仿能力很强，他们身上的一些特征是通过观察，从家长那里学来的。家长温和，孩子常常也温和；家长暴躁，孩子也容易暴躁。因此，在教育孩子的过程中，家长要克制自己的情绪，耐心引导，千万不要随口给孩子贴标签，而是要亲身示范，以身作则，希望孩子成为怎样的人，家长就应该自己率先努力做到，用自己的行动带动孩子共同进步。

问题3：总说"你不行"，使孩子产生自卑心理。

改进：多说"你能行"，建立自信心理。

教育中有一条非常神奇的定律：说你行你就行，不行也行。也就是说，如果想让一个孩子做到某件事，就要不断地强化他“我能行，我一定能行”的思想。反之，如果我们总是对他说“你不行”，他就会产生自卑心理，什么事情也做不好。

住在我家楼上的宁宁是个不爱运动的小男孩，比较宅，性格有点儿胆怯，不太自信。宁宁妈妈就想让孩子通过多与伙伴交往，性格再开朗一些。

一次，她带宁宁下楼玩，有几位小伙伴在走平衡木，宁宁上去刚走了几步就掉了下来，她看到其他几位小朋友都娴熟地走来走去，就远远地冲宁宁喊道：“你这动作不协调，不行就别玩了，别摔着。”几位小朋友听了后，都呵呵地笑了起来，宁宁当时就憋得满脸通红，觉得很羞愧。而她丝毫没有察觉，还对旁边的一位妈妈说道：“我家孩子运动协调能力差，怎么练也不行。”她不经意的几句话让宁宁的自尊心深深受挫，宁宁当时就含着眼泪低着头回家了。这件事使得宁宁很长时间都不敢下楼去玩，即便出去也不再玩平衡木了。类似这样的事情发生了好几次，使得本来就不开朗的孩子变得更加胆怯、不自信了。

白岩松说：“为人父母要小心你的思想、语言、行动，因为这些会变成孩子的性格，也会变成他的命运。”宁宁妈妈其实已经发现了孩子性格中的问题，希望这些能通过让孩子与伙伴多玩耍得到改善。但是，她总在人前说孩子不行，使得孩子认为自己确实不行。

如果宁宁妈妈改变一下教育方式，对孩子的影响就会截然不同。孩子在玩平衡木时，妈妈多给孩子一些关心和鼓励，宁宁就会建立起“我能行”的心理，即使从平衡木上摔下来，也会觉得没什么。假如当时有别的小朋友从平衡木上摔下来，她和孩子一起去搀扶，那么孩子的内心一定会感到特别温暖，也就学会了主动帮助他人。孩子胆怯、不自信的问题，就会在妈妈的积极引导下慢慢得到改善。孩子所有行为改善的背后，一定是家长教育观念的改变。

家长常常有意无意说的“你不行”会对孩子的心灵造成伤害，让孩子自然产生退却行为，甚至是抵触情绪。而家长一个肯定的眼神，一句真诚的“你能行”，会让孩子信心百倍，放下包袱，继续前行。“你不行”和“你能行”两句话只有一字之差，但背后代表的是家长不同的教育理念，也必然培养出自卑与自信两种不同心理的孩子。家长要用积极的方式来引导孩子，让“你能行”的鼓励逐步变成孩子“我能行”的自信。

问题4：过度溺爱、迁就，使孩子形成自私、狂妄的性格。

改进：给予孩子正确的爱。

近几年，我常听到有些孩子因为一点儿小事就对妈妈拳打脚踢，而妈妈还不舍得还手。还有一些性格比较偏激的孩子因为和父母有一些冲突就离家出走或自杀。这些孩子过激的行为让人感到诧异和担忧的同时，也折射出一定的家庭教育问题。

前几日，我读到胡适的一篇文章《我的母亲》，文中写道："我母亲管束我最严，她是慈母兼任严父，但她从来不在别人面前骂我一句，打我一下。我做错了事，她只对我望一眼，我看见了她的严厉眼光，就吓住了。犯的事小，她等到第二天早晨我睡醒时才教训我。犯的事大，她等到晚上人静时，关了房门，先责备我，然后行罚，或罚跪，或拧我的肉，无论怎样重罚，总不许我哭出声音来。她教训儿子不是借此出气叫别人听到……如果我学得一丝一毫的好脾气，如果我学得一点点待人接物的和气，如果我能宽恕人、体谅人——我都得感谢我的慈爱母。"从文中，我们能感受到胡适母亲对他的教育非常严格，胡适对母亲有着无限的感激与怀念之情。

法国教育家卢梭曾说过："你知道运用什么方法一定可以使孩子成为不幸的人吗？那就是对他千依百顺。"人们常说"惯子如杀子"，在家庭教育中，既要有奖励，也要有相对应的批评和惩罚。当孩子做错了事情时，家长要通过批评教育，让孩子意识到自己错在哪里，并且要及时改正。家长要从小约束孩子不正确的行为，引导他明辨是非、知错就改。同时，家长也要提高孩子的心理承受能力，不要遇到一点儿困难、挫折就被打垮。

没有规矩、不成方圆。家长的爱里应该包括及时给孩子指出错误，不迁就、不溺爱。不让孩子养成自私、狂妄的性格和脆弱的心理，让孩子知道有所为，有所不为，从而在今后人生的道路上不会跌更惨的跟头，这才是家长对孩子的将来负责任的表现。

问题5：有些单亲家庭的孩子心理太过敏感。

改进：家长要调整好自己的心理，会爱、会教育。

孩子良好性格的形成一定离不开温馨和睦的家庭氛围的依托。在一些离异家庭中，由于爱的缺失，孩子的性格或多或少受到影响。但也有一些单亲家庭的孩子性格发展得很好，这与家长的会爱、会教育是分不开的。

我知道这样一个离异家庭，孩子和妈妈一起生活，妈妈终日生活在被丈夫抛弃的阴影中，常常以泪洗面，妈妈的心理和行为深深地影响着孩子。孩子对爸爸的感情是复杂的，他既希望见到爸爸，得到更多的父爱，又特别怨恨他。很多熟悉这个小孩的人都知道不能当着他的面随便说“爸爸”两个字，如果说了，又正好赶上他情绪不好，他就会大哭大闹。

父母即便已经离婚了，不能给孩子一个完整的家，也要争取给孩子完整的爱，让孩子感受到爸爸妈妈虽然不在一起了，但是都依然爱他。父母可以各有分工，从不同的方面来照顾、关心孩子，不让孩子有爱的缺失，心理健康成长。

也有一些家庭，父母离异了，孩子由一方家长来抚养。要想塑造孩子良好的性格，抚养孩子的家长就要付出更多的努力。既然选择离婚就是为了能够摆脱过去的困苦，更好地生活，家长就要调整好心态，努力为孩子营造宽松愉悦的家庭氛围，不能因为自己情感上的患得患失，就总将未来的生活禁锢在过去的泥潭中，使得孩子也敏感被动。

在生活中，很多有成就的人都来自单亲家庭，是单亲家庭造就了他们比常人更加坚强的性格，正是这种性格助力了他们事业的成功。孩子良好性格的养成与否，关键不是看家庭是否健全，而是看家长是否会爱、会教育。很多单亲家长让孩子感受到了强大的爱和责任心，因而他们的子女比普通家庭的孩子更知道应该怎样去爱身边的每一个人，更知道如何靠自己的努力去追求自我价值的实现。

教育是一门艺术，需要家长用心去研究。父母要透过孩子性格中的一些问题，反思自己的教育方式。用自己积极、正确的爱，塑造出孩子良好的性格。

第六章

寻找“金钥匙”

——积极正面地解决孩子的问题

很多家长在教育孩子的过程中，会遇到各种各样的困惑，每天焦头烂额。如果不能及时找到解决的“金钥匙”，解决的效果自然不会理想。面对孩子的问题，家长需要运用教育智慧来解决。因而，家长要多学习，用科学的理念来引领自己的教育过程；多思考，从孩子的表象探求问题的本源，思考为什么会产生这样的现象；多沟通，在亲子之间建立起心灵的桥梁；多反思，不断调整自己的教育方法，做好孩子的榜样。

①

孩子总“要挟”家长怎么办？

有些孩子爱用哭闹的方式来“要挟”家长，从而达到自己的目的，甚至把“要挟”这一招用得特别娴熟。家长满足孩子吧，怕问题以后更难解决；不满足吧，哭闹不止。面对孩子的哭闹“要挟”，家长应该怎么办呢？

营造和谐融洽的亲子关系

一个炎热的中午，我在街边看到一对母女，女儿大约五岁。只见妈妈怒气冲冲地冲孩子嚷道：“不买冰棍了！”孩子一边哭一边瞪着妈妈，妈妈也瞪着孩子，两个人就在路边僵持着。没一会儿，小女孩说道：“你就是个丑八怪。”妈妈听后很生气，抬手就在孩子的屁股上打了两下。两人又僵持了一会儿后，妈妈妥协了，给孩子买了一根冰棍，小女孩挂着泪珠，吃着冰棍跟妈妈回家了。

那天天气炎热，因为不了解事情的前因，我很难说这根冰棍是否该买。我想，如果是孩子因为太热了才提出来“想买一根冰棍”，这个要求不算过分，家长可以满足。但如果孩子每天都提出来想吃冰棍，出于对孩子身体的考虑，家长拒绝是应该的。同时，家长一定要和孩子说明白拒绝的原因，这样孩子也能够理解家长的良苦用心，而不是把哭闹作为获利的手段。这位家长和孩子僵持了一会儿后，还是给孩子买了冰棍，这种做法其实更容易造成孩子认为“要挟”很有用的心理。

从偶遇的这一幕能感受到这对母女经常用争吵、僵持的方式来解决问题。如果遇到问题时，大家互相用言语来攻击，这样的家庭氛围容易使大家都情绪化，而不利于问题的解决。如果妈妈能够改变教育观念，努力营造和谐融洽的亲子关系，用自己理性的思想来处理孩子的问题，用和蔼的语气来和孩子进行沟通，我想孩子也一定会随之改变对待家长的态度。作为父母，应该用自己的理性来引领孩子的思维，而不是和孩子闹脾气、说气话，否则孩子也会用激烈的情绪回应家长，无法学会正确处理问题的方式。

在陪伴中冷处理

翔翔四岁左右的时候，在我们自己家里还好，一到姥姥姥爷家，就变得特别任性，耀武扬威，大家都得听他的，要不然就哭闹不止。

一次傍晚散步时，翔翔看上了一辆电动小汽车，因遭到了我的拒绝而大哭大闹，姥姥姥爷心疼地劝我给翔翔买了。翔翔一看有人替他说话，哭声更响了，并哀求道："你就答应我吧，这是最后一次……"看他那可怜兮兮的样子，我还真有点儿犹豫了，但转念一想，家里的电动玩具太多了，确实没有必要买。于是我让姥姥姥爷先回去了，然后把翔翔带到一个相对安静的地方，对他说："你就在这里哭吧。"翔翔哭了一会儿，看我没有来哄他的意思，自己也哭累了，就耷拉着小脑袋站在那里。看他冷静下来了，我对他说："咱们家的电动玩具有好几个，电动玩具其实都相差不多，确实没必要再买新的了。"翔翔看我没有妥协的意思，想想我说得也对，就乖乖地跟着我回家了。从此以后，当翔翔再提买东西时，如果他的要求不合理，被我拒绝了，他也就不再随便哭闹了。

翔翔每次在姥姥姥爷面前哭闹，是想用哭闹来"要挟"老人来满足他的需求，老人的每一次妥协，都进一步强化了他"要挟"成功的心理。而我把翔翔带到一个相对安静的环境里，不理他，他一边哭闹一边观察，发现自己"要挟"的方式在我这里并没有奏效，过一会儿自然也就不哭了。我通过冷处理，告诉孩子不合理的要求家长是不会同意的。

孩子在哭闹时总是装出一副很委屈的样子，一边抹着眼泪一边说"最后一次"之类的话。常常是家长刚同意，孩子就立刻笑逐颜开了，他们这样做就是想达到自己的目的，当目的达成后，还会继续用同样的方式来达到下一个目的。因而，对于孩子不合理的要求要坚决说不，同时也就是告诉孩子，“最后一次”之类的话不能随口一说，要讲求诚信。

李玫瑾教授说过：“对待哭闹的孩子，四个‘不要做’，只做一件事。不要打，以大欺小，不公平；不要骂，会给孩子不好的示范；不要说，孩子正在闹情绪，听不进去，说得多会让孩子以为你在求在哄他；不要走开，因为走开就成了单独禁闭，那叫惩罚，没有教育意义；只做一件事，那就是陪伴他，告诉他：这样做不对，你要闹就闹吧。等孩子情绪完全平复以后再进行沟通交流。”

儿童的理智比情绪发育滞后，所以做事情很容易情绪化。因而，对待孩子的无理哭闹，最好的办法是冷处理：安静地陪伴他，允许孩子先和他的情绪相处一会儿，让他把情绪发泄完。如果在孩子哭闹时家长对他大吼大嚷，孩子反而会觉得自己很委屈。如果家长把孩子丢下离开，孩子会有一种不安全感。等孩子平静下来后，家长可以让孩子说一说自己提出要求的理由，再用平和的语气告诉孩子不能满足他要求的原因，让孩子认识到对于合理的要求，家长是可以满足的，对于不合理的要求，家长也是不会随便妥协退让的。在处理事情的过程中，让孩子感悟到遇到事情不要用哭闹的方式来解决，而是应该说出自己的想法，让家长听一听自己的想法是否合理，因为沟通比用哭闹来“要挟”更有意义。

总之，在孩子用哭闹来“要挟”家长时，家长要学会冷处理，把规矩教给孩子，让孩子意识到哭闹“要挟”没用。这样孩子也会感受到父母是对他负责任的，因而不能随便地提要求。

金点子

1. 营造融洽的家庭氛围，处理好亲子关系。

2. 对于孩子不合理的要求，家长不能随便妥协。

3. 在孩子哭闹的时候，家长可以冷处理，在陪伴中把规矩和道理同时教给孩子。

②

孩子拿了别人的东西怎么办？

很多家长都有过这样的经历：在给孩子整理东西的时候，发现孩子书包里多了别人的东西，询问起来，孩子支支吾吾，有说捡的，有说给的……有些家长就听之信之了，有些家长还不太放心，就继续追问，孩子只好承认是从别人那里拿的。面对孩子拿他人东西的现象，解决得当，是对孩子的一次良好的思想教育。如果处理得不好，会给孩子的心理蒙上一层阴影。那面对孩子拿别人东西的现象，作为家长应该怎样解决才会收到较好的效果呢？

认真对待孩子第一次拿别人东西的现象

一次，表妹和我谈起她女儿涵涵把别人的东西拿回了家，我听完她处理的过程后，一个劲地称赞她解决得非常好。

涵涵刚上小学不久，一天表妹在给涵涵收拾东西时，发现书包里多了一个新的转笔刀，表妹一眼就认出来这不是女儿的学具，就问她："这是谁的转笔刀，怎么在你的书包里？"涵涵也没有太在意，随口答道："今天我的铅笔秃了，看到同桌桌上的转笔刀，就拿过来削铅笔了，我看她的铅笔都是尖尖的，而我的铅笔都秃了，就把转笔刀先放在我的书包里了。"表妹听完后，很吃惊，对涵涵说："每样东西都有自己的小主人，别人的东西我们不能随便拿走。如果你需要借用，必须和它的小主人打招呼，用完必须归还。你想想，同桌要是找不到转笔刀了，多着急啊。明天一定要把东西还给同桌。"听了妈妈的话后，涵涵认识到自己把别人的东西拿回家是不对的行为，但有点儿不好意思去还了。表妹看出女儿的为难情绪，答应明天放学接她时，一起把东西还给同桌。

等孩子睡下后，表妹又认真想了想涵涵的话，意识到主要是因为孩子缺乏物品所有权意识。第二天放学时，表妹和涵涵一起把东西还给了同桌，并且向同桌道了谢。当天晚上表妹又和女儿聊起了这件事情，告诉她别人的东西不能随便动，想借用必须打招呼，用完必须归还。从此以后，涵涵再没有随便拿别人的东西了。

当表妹发现女儿拿了别人东西后，没有立刻批评指责孩子，而是询问她是怎么想的，从孩子的话语中发现涵涵主要是因为对物品的所有权缺乏概念，所以才认为拿了别人的东西没有什么。在对女儿进行了引导后，第二天主动和女儿一起把东西还给了同学，给孩子做了一个良好的示范。在表妹的积极引导下，涵涵增强了物品所有权意识。

表妹和我讲完女儿涵涵的这件事情后没多久，我的一位朋友也向我谈起她儿子拿同学东西的事情，讲着讲着眼泪就哗哗地落下了，觉得自己对此负有一定的责任，因为自己对孩子的这件事情处理得不好，给孩子的成长蒙上了一层阴影。

她的儿子第一次拿别人东西还是在半年前，当天晚上，她发现家里多了一盒最近特别流行的新式彩笔，问孩子这是从哪里来的，孩子撒谎说是捡来的，她也没有继续深问，彩笔就放在家里了。从此以后，她时常发现家里多了一些新东西，在她的再三追问下，孩子终于承认这些东西都是自己从同学那里拿的。她怕孩子在同学面前丢面子，每次都是叮嘱孩子以后不要再拿了，但东西也没有还回去。直到有一天，有一位同学发现自己少了东西，并且在她儿子的课桌洞中看到了自己的东西，其他同学也纷纷说自己丢的东西很有可能也是他儿子拿走的。放学后，当班主任老师找她谈这件事时，她懊悔地说当第一次发现那盒彩笔的时候，如果多追问几句，并且让孩子把东西还回去，也许就不会养成孩子拿他人东西的坏毛病了，并且表示今后一定严格监管，帮孩子改掉这个坏习惯。

我的这位朋友回家后也反思了一下，自己平时总认为简朴一些比较好，孩子几次提出想买一些新鲜的东西，都被自己给拒绝了，没想到造成了孩子把别人东西据为己有的心理。又由于自己监管不严，才使得孩子渐渐养成了这个坏习惯。自从同学们发现她的儿子有拿别人东西的坏习惯，很多同学都主动疏远了她的儿子。

涵涵和我这位朋友的孩子都是拿了别人的东西，但他们有不同之处。涵涵对物品的所有权还不是很有概念，而这位朋友的孩子是因为喜欢又得不到而把它们拿走，是一种把别人东西据为己有的心理。在处理问题上，表妹发现了问题就及时进行了引导，第二天就和孩子一起把东西还给了小朋友，涵涵也就没有再出现过拿别人东西的现象。而这位朋友第一次发现家里多了别人的东西后，虽然对孩子进行了批评，但并没有让孩子把东西送还给同学，错过了引导教育的最佳时期，造成了孩子认为拿他人东西没什么的错误心理。因此，家长发现孩子拿了别人东西后，一定要在第一时间加以教育引导，让孩子把东西还回去，后续加强监管，不能让同样的问题反复出现。否则，如果孩子拿他人东西的问题长时间得不到解决，或者以爆发的形式被他人发现了，会对孩子的心理造成非常不好的影响，家长也要花费更多的时间和精力去补救。

我的这位朋友认为生活应该简朴一些比较好，所以当孩子提出想买一些新潮的东西时，她都拒绝了。但孩子并不理解家长的用心，这就造成了孩子的失落感。在家庭教育中，家长要多和孩子进行沟通，让孩子从心理上接纳家长的想法，而不是用其他不妥的方式来弥补自己。当然，对于孩子的合理要求，家长也可以适当满足，毕竟两代人生活的环境是不一样的。

看管好自己的东西，不给别人犯错误的余地

十多年前，我有一次骑车外出办事，把书包带套在车座上，书包夹在后座上。骑了一段时间，我察觉到有一个人一直在我的斜后方骑，但我也没有太在意。又骑了一会儿，只听后面有人大喊一声：“看好自己的东西。”我猛地一回头，看到斜后方的那个人已经用剪刀把我的书包带剪断了。一看我发现了他，这位男子就灰溜溜地骑走了。这时，后面那位提醒我的大叔骑了上来，对我说道：“把书包放前车筐里，自己看着多踏实，放在后面多危险啊。”我回过神来后，忙向这位大叔道谢。想想自己的身份证、银行卡都在书包里，丢了多后怕啊。这件事情过去了多年，现在回忆起来，我仍深感自己对此有很大的责任，如果不是自己随意把书包夹在后座上，就不会给他人留有偷东西的机会。

对于孩子们也一样，自己不要拿别人东西，同时把自己的东西看管好，他人自然就不会随便去动。有些孩子对自己的东西毫不在意，就使得他人很容易就把东西顺走。等发现自己东西少了，又常常弄不清楚是别人拿走了，还是自己丢了。因而，家长要引导孩子把自己的东西看管好，不随便乱放，不给他人留有犯错误的机会。

及时教育，不给孩子贴标签

当家长发现孩子拿了别人的东西时，一定不要武断地给孩子贴上“偷”这个标签。孩子们在成长的过程中，心理不够成熟，犯错误很正常，及时改正就可以。他们今后的人生之路还很长，“偷”这个标签会影响孩子心灵的成长。

孩子拿了别人的东西，如果是第一次，就要及时制止。如果已经不是第一次了，那家长就更要重视起来，不光要讲道理、还东西，还要加强监管，尽量不让孩子再出现同样的问题。

如果问题不是特别严重，对孩子的教育要中肯，不要夸张地吓唬孩子，有时事情的结果本身就已经是对孩子的教育了。夸大其词的教育常常会对孩子的心理造成很大的压力，当孩子发现事情没有家长说得那么严重时，反而容易不再信任家长而继续偷拿他人的东西，并且做得更加隐蔽，胆子也更大了。

“勿以善小而不为，勿以恶小而为之”，教育要从小抓起，从小事做起，及早培养孩子内心的行为准绳。

金点子

1. 让孩子建立物品所有权意识，认识到每样东西都有它的主人，不能随便拿走别人的东西。

2. 要认真处理好孩子第一次拿别人东西的情况，及时制止和教育，并让孩子一定要把东西还给它的主人。

3. 一定要了解孩子拿他人东西背后的心理原因，这样教育才会有针对性，才会收到良好的效果。

孩子沉迷于游戏怎么办？

翔翔上初中时，我曾参加过他们学校举办的一场讲座，主题是怎样帮助孩子克服网络游戏瘾。在现场，有一位妈妈说着说着就哭了起来。她的孩子每天沉迷于游戏，根本无心学习。由于孩子正值青春期，特别逆反，家长的话根本就听不进去。后来，家长采用强制的方式，没收手机，封上电脑，其结果是亲子矛盾越发激烈……听了这位妈妈的话，现场的很多家长也有同感，都表示对孩子沉迷于游戏感到无奈和无助。

青少年由于自制力比较差，一旦玩起游戏来常常控制不了自己，容易出现网瘾的现象，以致耽误了学习，甚至导致了各种健康问题。那面对孩子过度玩游戏的现象，家长应该怎样帮助孩子呢？

家长树立好榜样，丰富孩子的课余活动

俗话说，言教不如身教。站在孩子的角度上想一想，他们在

学习，家长却在一旁玩游戏，孩子的心里一定特别痒痒。因此，要想帮助孩子改掉沉迷于游戏的坏习惯，家长就要以身作则，自己先戒掉游戏。

翔翔刚上初中时也玩了一阵子游戏，一开始我也没有太在意。有几次，我发现大家都睡下后，他却在自己的小屋里蒙着被子偷偷玩游戏。这时，我意识到，孩子还小，游戏的诱惑太大，他控制不了自己。于是，我就和翔爸商量，打算把孩子的游戏给停了，翔爸非常赞同。我们和孩子谈停游戏的时候，翔翔的逆反情绪很强，反问我们：“为什么你们可以玩游戏，而我却不行？”为了帮助孩子克服掉游戏瘾，我和翔爸表示要把自己手机里的游戏全部删除。我们俩手机里的几个小游戏是上了一天班后放松消遣用的，为了帮助翔翔戒掉游戏，我们俩只能忍痛删除。在我们的带动下，翔翔勉强同意把自己的游戏也都删了。我们怕孩子一时不能顺利过渡，于是全家开展了一些丰富而有意义的活动，如平时孩子写完作业后一起下楼活动一会儿或者在家下棋，周末去爬山或游泳。在我们的共同努力下，翔翔戒掉了游戏瘾。

游戏对神经系统的刺激是非常强的，如果孩子已经玩游戏上瘾了，要让他立刻停下，就必须有其他活动能够替代，帮助孩子克服不玩游戏后的暂时空虚。在这些活动中，体育运动是最好的选择，运动能够充分释放身体和心理的压力，让孩子感受到快乐和轻松，从心理上减轻对网络的依赖。因此，家长们带着孩子行动起来吧，全家人一起投入丰富而有意义的活动，帮助孩子摆脱对游戏的心理依赖，增进亲子关系。

达成协议，加强陪伴

翔翔的同学小崔也很爱玩游戏，因为小崔父母工作忙，对他的陪伴较少。上初中后，小崔每天放学回到家写作业前后都要玩一阵子。一开始，小崔的父母没有太在意，可时间一长，小崔就有些上瘾了，学习时总惦记着玩游戏，对成绩有了一些影响。小崔的父母和孩子谈了几次，效果并不明显。小崔升入初二后，学习压力越来越大，妈妈再次和他谈起玩游戏的问题，强调过度玩游戏的危害。小崔保证说第一学期每天只玩半个小时，从第二学期开始就不玩了。妈妈采纳了小崔的建议，但是怕他控制不好时间，所以和孩子商量后把网给断了，第一学期用父母手机里的热点来玩游戏，到了第二学期只用热点上网查学习资料而不再玩游戏了。同时，父母也抽出更多的时间来陪伴小崔。通过多管齐下，小崔的游戏瘾终于得到了控制。

父母要善于利用沟通协商来解决孩子的行为和心理问题。对于玩游戏上瘾的孩子，父母可以先通过和孩子聊玩游戏的话题，让他们认识到过度玩游戏的弊端很大，从而有主动自我控制的意识。在此基础上，家长再来和孩子一起协商如何少玩游戏的办法。孩子心智还未成熟，常常只能看到眼前的得失，而且容易急躁，因而更需要父母有耐心、有策略地和他们沟通，而不是强硬地命令他们。在鼓励孩子自觉遵守约定的同时，家长也要加以监督管理，因为孩子很难做到完全的自觉。比如小崔妈妈和小崔达成协议后，在征得小崔同意的前提下把家里的网给断了，这样小崔即使一个人在家也玩不了游戏。其实，帮助孩子戒掉游戏瘾，也是对家长能否持续监管的考验。当孩子坚持一段时间后，家长就要及时给孩子鼓励和肯定，使孩子获得成功的喜悦，有继续坚持的动力。另外，孩子玩游戏常常与父母工作忙，陪伴和监管不够有关，因而父母要多抽出时间来陪伴孩子。

父母面对孩子出现的网瘾问题，不要一味地抱怨，而应该用自己健康、自律的生活方式引领孩子；通过加强陪伴、开展家庭活动等措施帮助孩子丰富生活；借助协议和监管提升孩子的自我控制能力。多管齐下，帮助孩子戒掉游戏瘾。

金点子

1. 家长要以身作则，少玩游戏或不玩游戏，给孩子做好榜样。

2. 讲清道理，达成协议，加强监管和鼓励。

3. 加强对孩子的陪伴，开展丰富的家庭活动，帮助孩子克服对网络的依赖。

发现孩子早恋了怎么办?

我在上下班的路上或者中学校园的门口常能看到一些早恋的学生，他们手拉着手，说话时有些拘谨和害羞。也许他们的父母还蒙在鼓里，一点儿也不知情；也许已经知道了，吵闹了多次，但两人非但没分开，反而走得更近了。

对于家长来说，孩子的早恋问题确实很棘手。青春期的孩子追求独立，有自己的想法，有较强的逆反情绪，不愿意让家长参与自己的事情。另外，早恋对于青春期的孩子来说是一件比较羞涩的事情，问题沟通起来有一定的困难。更重要的是，很多孩子早恋是家庭问题而造成的。那么如果孩子早恋了，家长应该如何引导他们呢?

展望未来，开阔视野

我有一位朋友当年从外地考到北京读书，后来在北京工作并安家落户。她的侄女在升高中的那年暑假，来北京小住几天。她利用周末时间带侄女去北京各大高校转一转，开阔眼界。在逛的时候，她假装随意但实则有心地告诉侄女千万不要在高中时期早恋，以免浪费更多的时间和精力，耽误大好前程，一定要努力学习，为自己拼搏出一个好的未来。在她的引导下，侄女刻苦学习，顺利考入了北京的大学。

学生时代最重要的任务是学习，父母可以多带孩子到高等学府走一走，感受一下那里浓郁的学习氛围。父母在平时生活中可以孩子一起规划未来，引导他们对自己的人生有设想，并且愿意为之努力。孩子有了明确的目标和开阔的视野，就不会拘泥于眼前的恋情。

把握好尺度，静观其变

大部分中学生的恋情，懵懵懂懂，不掺杂念，只是单纯的喜欢。有的是暗恋，有的是两情相悦，课上互相送一下“秋波”，偷偷递个纸条，还有一些是其他同学瞎起哄，其实两人根本就没来“电”……这样的“恋情”，不知不觉地来了，但也许在某一个节点又不知不觉地走了。这个阶段的孩子，关系稳定性不强，常出现“换人”的现象。其中更多的是披着“早恋”外衣的友谊或者一般的异性交往。

因而，对于孩子这个阶段的早恋，如果两个孩子不是特别亲近，家长可以静观其变，不必太过关注。因为孩子的心理也不是很成熟，感情来得快，去得也很快。家长千万不要太过紧张，大惊小怪，到处宣传，把问题严重化，结果把两个懵懂的孩子生生推到了一起，事与愿违。

变强制拆散为有策略地疏导

如果两个孩子确实已经走得比较近了，也影响到了学业，家长就要干预了。但青春期的孩子有独立的自主意识，对家长的话不光听不进去，反而还有逆反心理。因此，强制拆散行不通，要想办法和策略来疏导。

记得我当年上中学时，班里的一位男生和一位女生因互相吸引而慢慢走到了一起，放学后两人常一起回家。他们的家长听说了这件事后，全力阻挠，在整个年级闹得沸沸扬扬。结果，这两位同学反而成了“棒打不散的鸳鸯”，任凭家长用什么办法拆散，他们俩都不分开。双方的家长也就没有再给他们施加更大的压力。

越是难以得到的东西，对孩子就越有吸引力，一旦得到了，吸引力对孩子就没那么大了。没有了家长的全力阻挠，拼命捆绑在一起的动力渐渐减弱，加上学习负担日益加重，两个孩子投入一轮轮的复习考试，随着毕业的到来，他们俩就顺其自然地分手了。

莎士比亚的名剧《罗密欧与朱丽叶》中，罗密欧与朱丽叶相爱很深，但是由于两家是世仇，他们的感情受到了家里的一致反对。但是他们没有丝毫的动摇，反而更加相爱了，最后两人双双殉情。学生的早恋现象亦如是，如果家长强烈阻挠，就会产生罗密欧与朱丽叶现象，两个孩子会合力来迎接家长的挑战，结果越走越近。

面对孩子的早恋，家长要尊重孩子的纯真感情，不要采取施加重压、强行“拆散”等方式，否则会让孩子觉得家长不理解他，从而和家长的关系变得疏远，家长再说什么就很难走进孩子的内心了。因而，家长要有策略地疏导，用孩子能接受的方式告诉他，当下的重点应该是好好学习，为自己的未来发展奠定一个好基础。不要给孩子压力，给他思考消化的时间。在外界压力减小的情况下，孩子们抱团的动力自然会降低。这时家长平时总是强调的努力学习、不辜负大好青春之类的话又会重新占领孩子的思想，两人自然就慢慢分手了。另外，对于早恋的孩子，家长也要加强接送和监管，减少他们单独相处的机会。

处理好亲子关系，加强关怀与引导

我认识一个十几岁的女孩，她叫小妍。小妍来自单亲家庭，和妈妈生活在一起。妈妈自己带着小妍，非常辛苦，常常因为一点儿小事就唠叨抱怨，母女关系很紧张。因为缺少父爱，小妍进入中学后，很快就和同班的一个高大的男生走到了一起。一天，妈妈知道了这件事情，特别生气，回家后对小妍大吼大骂。小妍特别伤心，觉得妈妈不理解她，与妈妈的感情更加疏远了。第二天放学后，小妍把妈妈骂她的事情跟那个男生说了，男孩产生了强烈的保护意识。妈妈的阻挠，非但没有使两人分开，反而让他们走得更近了。

看到这样的情况，小妍妈妈特别着急，于是翻阅了一些关于青少年成长的书。通过学习，妈妈认识到，小妍缺少父爱，自己平时对孩子的关心也不够，那天的争吵把母女之间积压的矛盾激化了。此后，妈妈改变了对女儿的态度，母女俩的关系得到了缓和，小妍也能够和妈妈谈起自己喜欢的这位男孩。

过了不久，是小妍的生日，在过完欢愉的生日后，妈妈和小妍谈心，告诉她两个人相爱简单，相处却很难，她自己就是没有处理好婚姻生活。她表示，还是希望小妍把这颗爱的种子先放下，好好学习，等自己再成熟一些，有能力承担起这份爱的重量时，再让它萌芽。

在单亲家庭中成长的小妍深感妈妈的不易，也认识到自己只有变得更加成熟，才有能力承担和驾驭自己的感情。于是在和妈妈谈心后不久，小妍就主动和男友分手了。

在给女儿做思想工作的同时，妈妈也缓和了和小妍爸爸的关系，增加小妍和爸爸相处的机会。妈妈和小妍的舅舅也讨论了这件事情，舅舅便常带着孩子来找小妍玩，给予了小妍更多的关心。通过妈妈的努力，小妍在生活中感受到了更多的父爱。

孩子的早恋常与亲情的缺失或家庭关系紧张有关，这些孩子的内心比较孤单，希望有人来关心他们，于是通过早恋来寻求缺失的爱。如果是父母忙着赚钱或者吃喝玩乐，对孩子关心不够造成的，父母则应该加强对孩子的关心和陪伴。如果是夫妻关系紧张而造成孩子缺少安全感，父母就应该积极改善关系，至少当着孩子的面不再争吵。如果是单亲家庭，家长应尽量弥补孩子缺失的爱……只有先把孩子早恋的原因诊断清楚了，再有针对性地给予引导和关怀，才能把孩子的心拉回来。在亲子沟通中，要让孩子感受到父母是理解他的，不支持早恋也是出于对他们成长的长远考虑。只有孩子的心和父母的心顺利沟通了，孩子缺失的爱得到补偿了，早恋的问题才能够解决。

关注异性内在的优秀品质

著名心理专家王高华教授曾说：“不要怕孩子早恋，培养他们爱的能力对其成长十分重要。”由于孩子心智还未成熟，对于爱情的认识是懵懂的，因此家长在日常生活中要和孩子多沟通，引导他们建立正确的人生观和恋爱观。孩子由于年龄小，常常只关注身边伙伴的服饰、长相等浅层的东西，家长应该引导他们更多地关注善良、上进、自律这些内在深层的优秀品质，逐步把这些优秀的品质融进对异性的评价中，为他们今后能够高质量地选择和生活奠定基础。

交往要有底线

对于孩子的早恋，有些父母持开放的态度，但也一定要告诉孩子交往是有底线的。美国前第一夫人米歇尔•奥巴马说过：“绝不允许女儿们夜不归宿。”对于孩子交往的底线，家长一定要明确要求，如按时回家、不能有性接触等。让孩子认识到，交往要对自己和对方负责任，不能因为一时冲动，给双方造成不可挽回的伤害。让孩子明确交往的底线，也是对孩子的保护。

家长应对孩子的早恋问题，就如同治水，不能靠“堵”，而是要靠“疏导”。营造融洽的家庭氛围，处理好亲子关系是解决问题的根本。

金点子

1. 家长应对孩子的早恋问题，就如同治水，“堵”不能解决根本问题，而是要靠“疏导”。

2. 处理好亲子关系，当孩子得到爱的补偿后，早恋的动力就会随之下降。

3. 加强策略性疏导，教育孩子用理智约束自己的感情，待自己身心成熟后，再让爱的种子萌芽。

配好家庭教育的“金钥匙”

《孩子，把你的手给我》一书中这样说：我们不但要有一颗爱孩子的心，更要懂得如何去爱孩子。就好比我是一名外科医生，我拿着手术刀，诚恳地告诉我的病人我非常愿意帮助您，尽管我没有学到什么技术，但是我充满爱心！来吧，请相信我。如果您是这位病人，您一定神色大变，从手术台上跳下来就逃走了。孩子的很多行为让家长焦头烂额，确实需要管教。但是，如果家长就像那位外科医生，充满爱心，但根本就不知道如何行医，那孩子管教不好就太正常了。不仅如此，当孩子出现问题后，家长又常常把所有的问题归因于孩子，对自己的教育理念和方式审视得较少，很少思考自己作为家长的教育技术是否过硬。

孩子的成长关键期又少又短，错过了就永远不会回来。因而家长要积极学习家庭教育，不断提升自己的教育能力，与孩子共成长。

孩子的问题，也许就出在了家长的教育方法上

我曾看到过一篇文章，给我感触很深。它讲了作者小时候和一个小伙伴在泳池边玩水，结果掉到了池子里，他们都不会游泳，负责救生的叔叔费了很大的力气才把他们俩救了上来。作者的妈妈生气地埋怨他太不小心了，作者因为淹了水，本来就又惊又怕，妈妈这样一说让他更加惊恐。而另一位小朋友的妈妈则笑着告诉孩子不要害怕，以后学会了游泳，这样的事情就不会发生了。从此以后，作者再也不敢去泳池边玩了，而那位小伙伴没多久就学会了游泳。

从这个故事中，我们能够感受到两位妈妈其实都深深爱着自己的孩子，但她们的教育方式不同，对孩子的影响就截然不同。作为父母，我们常常关注的是自己的感受，比如对孩子的担心和焦虑，但很少设身处地地站在孩子的角度上考虑问题。站在孩子的角度上看，他们需要的不是苛责，而是引导和鼓励。父母给予孩子过多的否定，本意是想让孩子尽快改正，或者避免犯同样的错误，但是结果常常是打击了孩子的积极性，强化了缺点，使得问题更加难以解决。如果家长改成多肯定孩子的努力和长项，让他感受到自己的进步，有一种发自内心的成就感，他就有足够的力量走得更远。

在孩子成长的道路上，家长是陪伴者，更是引领者。多站在孩子的角度上思考，教育就有了方向，很多原先让人焦虑的事情，

变得没那么重要了，很多原来难以解决的问题，因为转换了思路和方法，反而能有效解决了。家长思考问题的角度、教育的方法，常常决定了教育的质量。

要想让孩子转变，要让他知道问题出在了哪里

翔翔上小学五年级的时候，每天放学后都要玩一小会儿游戏。一次，我无意中发现家里有两张100元的游戏卡，我问他这卡是哪里来的，孩子也没有隐瞒，告诉我是他用自己的压岁钱买的。我听后非常诧异，一向乖乖的、对钱没有概念的儿子居然自己花钱买了游戏卡。细问了之后了解到，不光翔翔买了，他的好朋友跃跃也买了。我狠狠地批评了翔翔，告诉他以后不许再买了，而且动用压岁钱要告诉家长，翔翔还回敬我说："我花自己的钱为什么要告诉你？"听了这话，我更是气得火冒三丈，揍了他一顿。晚上，我也善意地提醒跃跃妈妈，跃跃也用家里的钱买了游戏卡。

第二天正好是周末，跃跃妈妈给我回了电话，感谢我告诉了她这件事情，说晚上想请我和翔翔外出吃个饭。在饭桌上，跃跃妈妈温和地问两个孩子："你们觉得买游戏卡对吗？"两个孩子都说不对。跃跃妈妈接着问道："为什么不对呢？"两个孩子支支吾吾，说不清楚。于是，跃跃妈妈耐心地给孩子们进行了讲解，告诉他们过度玩游戏对身体和学习的危害，以及商家是如何通过游

戏关卡让玩家花钱买装备的，还告诉他们，用压岁钱可以，但每次用之前要和家长商量下，在父母的引导下逐步建立起正确的消费观。

跃跃妈妈并没有批评孩子们做得不对，而是由浅入深地帮孩子分析为什么不能花钱买游戏卡。两个孩子吃完饭，高高兴兴地回家了，以后再没有出现过随便花钱买游戏卡的事情。

教育真正的目的是提高孩子对事情的判断能力。当孩子出现问题后，家长要克制好情绪，因为简单粗暴的打骂行为会让孩子为了逃避批评而说谎、推卸责任，严重的还会出现叛逆心理和行为，这就失去了教育的意义。家长的耐心引导则会让孩子放下戒备，真正认识到自己的问题出在了哪里，这样做会有哪些危害，怎样做会更好一些，从而提高反省能力，避免今后再犯类似的错误。

孩子的很多坏毛病，其实是家长惯出来的

有一段时间，堂弟对他的宝贝儿子阿亮特别无奈，原因是阿亮干什么事情都特别磨蹭，在学校明显跟不上同学们的步伐。老师督促，孩子不听，老师向家长反映孩子的情况，家长也没有办法，这个问题很长一段时间都困扰着堂弟。在阿亮二年级开学后不久，堂弟高兴地告诉我说新老师把阿亮的坏毛病给改掉了。

原来，阿亮升入二年级后，班里换了一位新班主任。一天，

同学们都出门站队准备去上体育课，只有阿亮还在教室里慢悠悠地整理东西，小班长怎么催也没用。新老师看到后非常生气，就责问阿亮为什么还不出门站队，阿亮漫不经心地看了老师一眼，说道："我还没整理完呢！"老师就让其他同学先去上体育课，把阿亮单独留在教室里。老师结合阿亮开学以来磨蹭散漫的表现严厉地批评了他，告诉阿亮东西可以回来再整理，但是让大家都等着就不好了。从此以后，阿亮做事麻利多了，集体意识也明显增强了。

在生活中，很多父母发现了孩子身上的一些缺点或不足，却不舍得严格管教。有时家长还没说几句，就以孩子的哭闹草草收场。因而，孩子的很多坏毛病其实是家长惯出来的。其结果是孩子不但没改掉坏毛病，家长还不得不迁就孩子，放低对孩子的标准。如果面对孩子的问题，家长的态度再坚定一些，孩子看到没有回旋的余地，一些坏毛病自然也就改了。同时，家长也要加强监管，不给孩子的坏毛病反复出现的机会。从长远来看，当机立断，严而有理，不留余地，可以帮助孩子更快地改掉坏毛病。

严中有法，帮孩子改掉坏习惯

处于成长过程中的孩子，或多或少都有一些坏习惯。"千里之堤溃于蚁穴"，如果父母听之任之，这些坏习惯会成为孩子成长的羁绊。因而，家长们都很重视孩子习惯的养成，但很多家长常常困惑迷茫，天天冲孩子吼，孩子也不见改进。其实，孩子坏习惯形成的情况各不相同，因此家长的教育方法也要不同。

有些坏习惯的养成是因为孩子没有养成相应的好习惯。如前文中提到的天天丢铅笔、书包里乱糟糟……孩子之所以会出现这些问题，是因为他不知道该怎样做，没有养成整理的习惯。家长与其说教，不如换位思考，想想他的需求到底是什么，和孩子一起想一些实用的方法，让孩子有个“抓手”，当孩子将这些方法熟练应用后，很多坏习惯自然就改掉了。

有些坏习惯，如一放假就赖床、没有限制地玩游戏、宅在家里不出门、不爱运动、磨蹭等，可能就是孩子从家长身上学的。面对孩子的这些坏习惯，家长一方面要提要求，另一方面要积极做好榜样，用自己自律的行动引领孩子，帮助孩子逐步培养好习惯。

还有些孩子自信心不足，表现为腼腆、缺少礼貌、做事退缩、不敢交朋友等，孩子这些问题的产生可能源自家庭里爱的缺失，也可能是父母对孩子过分的保护，扼杀了孩子的自信心。无论是哪种原因，父母都要积极调整教育方式，培养孩子的自信心。

总之，对于孩子的问题，家长不能只是空洞地说教，而是应该严中有方法，让好方法助力孩子养成好习惯。

对于原则性问题，家长必须做出正确的选择

孩子由于年龄小，经历的事情少，因此常常会贪图眼前的舒适。在很多原则性问题上，父母要帮孩子做出正确的选择，哪怕这个选择在短时间内看是痛苦的。

我有一位远房的堂姐，她的年龄比我大很多，她的儿子也就比我小几岁。我和她多年未联系，一次相聚时，她对我讲起她儿子高中的一段经历。

她儿子上高中时学习不踏实，每天就想着偷懒、钻空子，堂姐天天哄着、劝着，希望儿子能有一些转变，但儿子根本就没把她的话听进去。高考结束后，成绩自然不理想。姐夫平时忙工作，没怎么管孩子，看到孩子的成绩后很惊讶，生气地问："怎么能考成这样？"堂姐也很失望，说道："你平时也不管，就他那个学习态度，能考出这个分数已经不错了。"堂姐的话点醒了姐夫，让他认识到自己对孩子的监管不够，导致儿子自我放松，成绩不理想。晚上，一家三口坐在一起开了一个小的家庭会议。堂姐和姐夫先做了自我检讨，表示要抽出更多的时间来陪伴儿子，给他更多的精神上的支持。同时，也和儿子商量复读的事情，希望儿子把握住复读的机会，踏实下来，认真学习，对自己的人生负责。在沟通中儿子说，自己高中三年太过贪玩，高考结束后，看到别人拿到了满意的成绩，自己也很后悔，表示复读的这一年一定要努力学习。在此后的一年里，堂姐和姐夫给予了儿子更多的陪伴和引

导，孩子也在高考中取得了优异的成绩。目前在一家银行工作。

堂姐给我讲完她们家的这段经历后，我深感那次家庭会议是她儿子的一个重要转折点，因为它让孩子学会了自我反思，通过总结失败的原因，确定了新的目标，并且愿意为此付出努力，这也是一种成长和成熟的表现。因而，在面对一些原则性问题时，家长必须帮孩子做出正确选择。孩子也许刚开始不适应，不理解家长，但在家长正确的指引下，能逐步感受到自己的进步，内心还是很有成就感的。长大后，孩子也一定会感谢父母当初的严格要求和正确选择。家长的当严则严，是对孩子真正的负责任。

面对孩子的问题，家长要更好地发挥教育的智慧：当严则严，严中有理，严中有法，严中有度。好的教育可以让孩子受益终身，成就孩子更加美好的明天。

金点子

1. 面对孩子的坏习惯，家长不要总给孩子拖延改正的机会，而是要坚定地要求和帮助孩子改正。

2. 面对孩子的坏习惯，家长要严而有法，对症下药，帮助孩子养成好习惯。

3. 对于原则性问题，家长必须帮孩子做出正确的选择，并且帮助孩子度过一开始的不适应期。

4. 要积极调动孩子的心理因素，鼓励他们自我反思、自我调整。

5. 孩子的心理问题常折射出教育问题，要想改善孩子的心理问题，先从调整家长教育的方式做起。